Cachée

À Françoise et Jean.

Marguerite Elias Quddus

Conception graphique : Jonathan Kremer et Nicolas Côté

Couverture : illustrations de Marguerite Elias Quddus,
conception de Sarah Lazarovic

Catalogage avant publication de Bibliothèque et Archives Canada

Quddus,Marguerite Elias, 1936-
Cachée : mémoires / de Marguerite Elias Quddus.

(Collection Azrieli des mémoires de survivants de l'Holocauste)
ISBN 978-1-897470-02-2

Quddus, Marguerite Elias, 1936-. 2. Holocauste, 1939-1945 – France – Récits personnels. 3. Enfants juifs pendant l'Holocauste – France – Biographies. 4. Survivants de l'Holocauste – Canada – Biographies. I. Fondation Azrieli II. Titre. III. Collection.

D804.196.E54 2007 940.53'18092 C2007-905436-6

Imprimé au Canada. Printed in Canada.
Deuxième impression

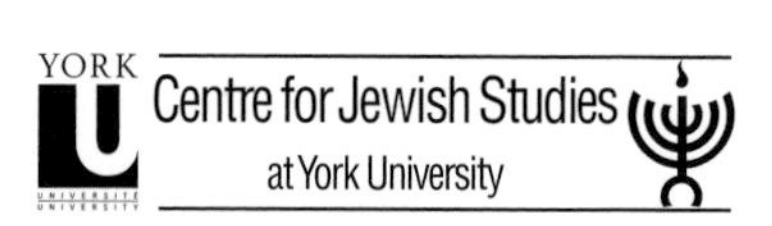

La Fondation Azrieli
164 Eglinton Avenue East
Suite 503
Toronto, Ontario
Canada M4P 1G4

Centre d'études juives
Université York
241 Vanier College
4700 Keele Street
Toronto Ontario
Canada M3J 1P3

La COLLECTION AZRIELI des
mémoires de survivants de l'Holocauste

PREMIÈRE SÉRIE

Directrice du programme : Tamarah Feder
Éditrice du volume : Elizabeth Lasserre

Cartes de Sir Martin Gilbert

Découvrez les autres ouvrages de la collection
sur le site www.azrielifoundation.org

LA COLLECTION

Le Programme de publication des mémoires de survivants de l'Holocauste a été mis en œuvre par la Fondation Azrieli et le Centre d'études juives de l'Université York afin de préserver et de diffuser les mémoires écrits par les personnes ayant survécu au génocide des Juifs d'Europe par les nazis et ayant par la suite émigré au Canada. Les instigateurs de ce programme estiment que tout survivant de l'Holocauste possède une expérience remarquable à raconter et ont la conviction que chacune de ces histoires offre une opportunité pédagogique qui mène les lecteurs vers une meilleure compréhension de l'histoire, une plus grande tolérance et un plus grand respect de la diversité.

Des millions d'histoires individuelles ne seront jamais dites. Les Juifs d'Europe assassinés n'ont pas laissé de témoignages de leurs derniers jours. En préservant ces récits et en les diffusant à un large public, le Programme s'évertue à conserver la mémoire de ceux qui ont péri sous les assauts d'une haine encouragée par l'indifférence et l'apathie générale. Les témoignages personnels de ceux qui ont survécu dans les circonstances les plus improbables sont aussi différents que ceux qui les ont écrits, mais tous démontrent la somme de courage, d'endurance, d'intuition et de chance qu'il a fallu pour faire face et survivre dans cette terrible adversité. Plus de soixante ans plus tard, la diversité de ces expériences permet au lecteur de mettre des visages sur ces événements et ce monde disparu, et d'appréhender l'énormité de ce qui est arrivé à six millions de Juifs à l'aide d'un échantillon de parcours individuels. Ces mémoires sont aussi un hommage aux personnes, amies ou inconnues, qui ont risqué leur vie pour porter assistance à d'autres et qui, par leur bienveillance et leur dignité dans les moments les plus sombres, ont souvent aidé les personnes persécutées à conserver leur foi dans l'humanité et le courage de lutter. Le récit de ce qui a amené ces survivants à venir au Canada après la guerre pour construire une nouvelle vie est souvent remarquable. Le désir qui les pousse à exposer leur expérience de sorte que les jeunes générations puissent en tirer des leçons de vie est tout aussi exemplaire.

Le programme recueille, archive et publie ces écrits historiques de concitoyens canadiens et les rend accessibles gratuitement aux bibliothèques canadiennes, aux organisations œuvrant pour la mémoire de l'Holocauste, ainsi qu'au grand public grâce à la mise à disposition gratuite des textes sur le site Web de la Fondation Azrieli. Les originaux des manuscrits reçus sont conservés aux Archives et collections spéciales Clara Thomas de l'Université York. Ils sont disponibles pour consultation aux chercheurs et éducateurs intéressés. Les mémoires sont publiés au sein de la Collection Azrieli des mémoires de survivants de l'Holocauste.

~

Le Programme de publication de mémoires de survivants de l'Holocauste, la Fondation Azrieli et le Centre d'études juives de l'Université York sont reconnaissants aux nombreuses personnes ayant contribué à la réalisation de cette collection d'ouvrages. Nous remercions tout spécialement Jody Spiegel, coordinatrice exécutive de la Fondation Azrieli. Pour leur contribution aux vérifications historiques, aux corrections et aux relectures des manuscrits, le programme remercie Todd Biderman, Helen Binik, Tali Boritz, Mark Celinscack, Mark Clamen, Jordana DeBloeme, Andrea Geddes-Poole, Valerie Hébert, Joe Hodes, Tomaz Jardim, Irena Kohn, Tatjana Lichtenstein, Carson Philips, Randall Schnoor, Tatyana Shestakov et Mia Spiro. Pour leur aide et leur soutien aux différentes étapes de la réalisation, le Programme témoigne de sa gratitude à Susan Alper, l'équipe d'Andora Graphics, Mary Arvanitakis, Mahtab Azizsoltani, Howard Aster, Miriam Beckerman, Josée Bégaud, François Blanc, Aurélien Bonin, Florence Buathier, Béatrice Catanese, Sheila Fischman, Esther Goldberg, Elizabeth Lasserre, Ariel Pulver, Michael Quddus, Henia Reinhartz, Nochem Reinhartz et Don Winkler.

Ce livre est dédié :

À la mémoire de mon père adoré, Maurice Elias (Srol Moïse Eliash), engagé volontaire, démobilisé à l'Armistice, raflé à notre domicile le 20 août 1941 pour être interné au camp de Drancy jusqu'au 12 décembre 1941, date de son transfert à celui de Compiègne, d'où il fut déporté à Auschwitz le 27 mars 1942. Le 19 avril 1942, après huit mois de privations et d'humiliations, à l'âge de 36 ans, il a été EXTERMINÉ.

À ma mère Rachel Peré Elias née Sandler, dont le courage, la force et la volonté nous ont sauvées malgré nous. En 1944, elle participait aux opérations des Forces Françaises de l'Intérieur pour l'Union des Juifs pour la Résistance et l'Entraide (U. J. R. E.), groupe de combat de Lyon. Elle a survécu jusqu'en 1996.

À Estelle Eskenazi et Colette Mayer Wormser, assistantes du Service Social de Notre-Dame de Sion de Grenoble, qui nous ont accompagnées au péril de leur vie. Elles étaient connues sous les noms d'Estelle Évrard et Colette Morel du Service d'Évacuation et de Regroupement des Enfants (S. É. R. E.), mouvement lui-même associé à l'Œuvre de Secours aux Enfants (O. S. E.).

À madame Graziani, fidèle et brave amie de mes parents.

À ma tante Sonia Zanditenas, comme à tous ceux qui m'ont tendu la main dans ces moments dangereux.

À mon grand-père paternel, Icek Eliash, son fils Abraham et son petit-fils Bobi, tués ensemble comme otages en Lituanie. À ma grand-mère Méra Tow Eliash, sa femme, ainsi qu'à ma grand-mère maternelle, Gindé Dvaure Sandler, née Mayer, et sa fille, ma tante Sarah, toutes trois MASSACRÉES. Sans oublier les autres membres de ma famille : oncles, tantes et cousins disparus à la fleur de l'âge.

Ainsi qu'à Raphaël Sandler, frère cadet de maman, mort à Stalingrad en combattant pour la liberté.

mémoires

Cachée

Margerite Elias Quddus

mémoires illustrés par l'auteure

REMERCIEMENTS

À mon mari, le docteur Abdul Quddus dont le soutien moral autant que matériel m'a donné les moyens de consacrer sept ans à ce travail, souvent à ses dépens.

À mon fils Michael Elias Quddus, qui m'a offert son temps, ses ressources, son amour et suffisamment de patience pour se charger lui-même de la première édition de ce livre.

À tous mes amis d'ici et d'ailleurs, qui m'ont fait confiance et m'ont encouragée.

À Daniel Gorfinkel, d'Israël, et à René Goldman, de Vancouver au Canada, frères de misère depuis la maison d'enfants de déportés d'Andrésy, en 1945.

À Hélène Silberstein, des États-Unis, et à Thérèse Dabrowski, de France, amies de longue date.

À ma sœur, Henriette Elias Massardo, décédée le 6 mai 2007 dans un désarroi insupportable, relatif à son pénible passé, unique compagne de route durant notre enfance troublée par la destruction de notre famille. Nous avons vécu ensemble dans la honte de notre origine, que nous devions camoufler sous peine de conséquences épouvantables, et ce jusqu'au retour éventuel de notre mère.

À M. et Mme Robert Chatenay, de France, qui m'ont abritée durant dix-huit mois, dans des conditions redoutables et très particulières. Au travers des rencontres secrètes de nos deux familles, après mon mariage, et au travers de notre correspondance chargée d'émotion, nous avons pu constater quelle importance cette période vécue ensemble a eue sur ma vie et sur celle des miens.

À Bernard Hanau, retrouvé et perdu trop tôt, ainsi qu'à Claudine, sa veuve qui a su conserver notre lien spécial, au-delà de son existence.

TABLE DES MATIÈRES

PRÉFACE

Pour sortir de l'ombre…

Marguerite Elias Quddus nous raconte l'histoire que les livres d'histoire ne nous racontent pas : la tourmente de la guerre vécue par une très jeune enfant qui n'a que superficiellement conscience du contexte historique. La petite Marguerite nous fait entrer dans son monde, sa vie heureuse d'avant la guerre, entourée de sa famille. Les dessins et les descriptions se relaient pour évoquer tout un univers révolu que nous connaissons peu : la vie quotidienne à Paris avant la Deuxième Guerre mondiale. Déjà toute jeune, la fillette connaît l'antisémitisme à travers les remarques désobligeantes que le propriétaire n'hésite pas à faire à son père. Mais dans l'ensemble, sa vie à Paris s'écoule paisiblement jusqu'à la cassure de la guerre qui fait basculer la vie de Marguerite et de sa famille dans la peur.

L'auteure a pris le parti de dresser le portrait de la petite fille qu'elle était avec les joies et les peines d'une petite fille, la façon de penser et les valeurs qu'elle avait enfant. C'est d'ailleurs le souhait qu'elle forme, que d'être lue et comprise par les enfants dont elle aime la compagnie et avec qui elle sait nouer de très bons rapports.

Pourtant, le passage du souvenir au texte écrit ne s'est pas effectué spontanément chez Mme Elias Quddus. Il a fallu un événement marquant pour que l'auteure arrive à se confronter aux images de son passé. Cet événement a été l'annonce de la démolition du 99 rue de Charonne, la maison de son enfance d'avant la guerre. Lorsque Mme Elias Quddus s'est rendue sur les lieux avant que les travaux ne commencent, des images ont ressurgi dans sa tête et l'ont ramenée aux années noires de la guerre. Elle a voulu écrire ce qui lui revenait mais elle n'y parvenait pas. C'est son fils, Michael, qui lui a suggéré de dessiner le souvenir le plus douloureux. Grâce à son talent artistique, elle a commencé avec difficulté à dessiner la scène des adieux à son père, au moment où il a été emporté par la première rafle du 11ᵉ arrondissement où ils habitaient. Ce premier dessin a entraîné un besoin quasi vital de poursuivre avec d'autres représentations et, souvent, Mme Elias Quddus était tellement prise par le projet qu'elle se sentait comme droguée et en oubliait ce qui l'entourait. De cette manière, elle a reconstruit petit à petit son passé. Deux ans plus tard, les dessins étaient finis, accompagnés d'explications écrites, devenues avec le temps un véritable récit.

La rédaction du texte a demandé un travail sur les émotions qui fait dire à Mme Elias Quddus que son récit a été sa thérapie. Car il ne s'agissait pas d'énumérer des faits mais de revivre des émotions, souvent effrayantes. Mme Elias Quddus, qui avait eu recours à sa mémoire visuelle pour l'aider à entrer dans son passé, va avoir recours à son sens de la musique pour pouvoir l'écrire : elle va faire rimer tout le texte. Cette musique, affirme-t-elle, est essentielle à l'expression de ses émotions. Cependant, la rime oblige à des choix de vocabulaire et de structures syntaxiques motivées par les recherches sonores plus que par la clarté. Pour alléger la lecture et pour pouvoir se faire lire par un grand public, le texte a été modifié et la rime atténuée dans notre édition. Mais les grandes caractéristiques du style de Mme Elias Quddus demeurent inchangées : rythme lapidaire des phrases courtes, langue orale des dialogues, domination du temps présent. L'auteure a délibérément voulu recréer un langage simple, voire enfantin, pour donner la parole à l'enfant qu'elle a été, qui précisément ne pouvait s'exprimer. De ce fait, l'histoire peut être lue par de jeunes lecteurs et être aussi prenante et riche pour eux que pour des adultes.

Par exemple, adultes et enfants peuvent comprendre l'attrait magique qu'exerce le téléphone bleu sur Marguerite. C'est un jouet qui lui a été offert après l'arrestation de son père. Il lui permettra de conjurer son absence et, par la suite, de supporter les brimades dont la famille va être l'objet. Ce téléphone symbolise merveilleusement sa liberté reconquise : elle peut téléphoner à qui elle veut, quand elle le veut et où elle le veut. Il lui offre l'espoir de pouvoir rejoindre, par un simple coup de fil fictif, son monde d'avant la guerre – espoir qui lui permet de passer à travers des moments très douloureux.

Outre le téléphone bleu qui restera à Paris, un autre jouet-fétiche aidera Marguerite et l'accompagnera dans la clandestinité : son baigneur, offert par son père lorsqu'il est revenu de l'armée à l'Armistice. Adultes comme enfants reconnaissent en cette poupée le symbole du père absent. La petite Marguerite y est extrêmement attachée et le gardera près d'elle pendant toute la guerre. Mme Elias Quddus a confié ce baigneur au Musée de l'Holocauste à Montréal où on peut le voir aujourd'hui.

Lorsque les jeunes lecteurs lisent les nombreuses références aux disputes entre Marguerite et sa sœur Henriette, ils saisissent le caractère authentique du récit qui n'adoucit pas la réalité pour la rendre plus « convenable ». Par contre, il faut le recul de l'adulte pour comprendre le symptôme psychosomatique qui accable Marguerite chaque fois que son monde chavire. Quand tout semble hors de contrôle, elle aussi perd le contrôle : elle devient incontinente. Ainsi, de nombreuses références à la colique et à l'énurésie ponctuent le récit et révèlent mieux que les mots le désarroi qu'éprouve la petite fille lors des épreuves qu'elle traverse et tout au long de sa séparation d'avec sa famille.

Mais cette histoire que nous raconte Mme Elias Quddus est tout à la fois le parcours individuel d'une petite fille pendant la guerre et une page de l'histoire collective. Les actions et les choix des adultes, de même que le contexte français et international, sont vus à travers les yeux d'une enfant. Bien qu'ils ne soient pas explorés en détail par Marguerite, ces actions plus larges et ces événements historiques forment le cadre dans lequel s'insère son histoire et offrent de nombreux points de repère à son déroulement.

Lorsque l'Allemagne a défait la France en 1940 et qu'un armistice a été signé, le pays a été coupé en deux : le nord de la France se retrouvait sous occupation militaire allemande, alors qu'une Zone Sud, comprenant les deux cinquièmes du territoire, restait sous contrôle direct d'un nouveau gouvernement établi dans la ville de Vichy. Dirigé par le maréchal Pétain, un héros de la Première Guerre mondiale, le gouvernement de Vichy est entré en collaboration avec les nazis. Pétain et ses nombreux partisans n'étaient pas simplement motivés par le désir de sortir la France de la guerre. Ils étaient aussi animés par une aspiration réelle à la « Révolution Nationale ». Ce slogan correspondait à un programme de transformation de la France en un État autoritaire dans lequel les valeurs traditionnelles, le corporatisme et la xénophobie étaient encouragés.

Comme dans tous les pays qu'elles ont occupés, les autorités allemandes ont rapidement instauré des mesures anti-juives dans la Zone Nord. Parallèlement, le gouvernement de Vichy a mis en place ses propres mesures contre les Juifs et les autres « indésirables » – communistes, immigrants, francs-maçons, Tziganes et homosexuels, entre autres. D'importants décrets ont été passés, en particulier le «statut des Juifs», qui définissait strictement les critères permettant d'identifier une personne comme juive, et conférait à ces personnes un statut inférieur en droit civil dans le but avoué de limiter leur rôle dans la société française.

Il y avait 350 000 Juifs établis en France métropolitaine en 1940, dont la majorité n'étaient pas de nationalité française mais avaient immigré d'Europe orientale après la Première Guerre mondiale ou avaient fui l'Allemagne nazie et d'autres pays européens dans les années 1930. Sur ce nombre, 200 000 vivaient à Paris, parmi lesquels la jeune Marguerite et sa famille. Dès le début de l'Occupation, les Juifs de Paris et de la Zone Nord se sont vu supprimer leur emploi et confisquer leurs biens. Beaucoup ont été arrêtés et se sont vu imposer des restrictions de mouvement et de communication. Dans un premier temps, les mesures anti-juives de Vichy ont touché les non-nationaux, avec des milliers d'arrestations et d'internements en camps de travail – parmi eux M. Elias, père d'Henriette et Marguerite, et ce, malgré ses états de services dans l'armée française.

Au début de l'année 1942, la collaboration entre les autorités de Vichy et l'occupant nazi s'est renforcée et les mesures discriminatoires ont commencé à toucher plus indistinctement l'ensemble des Juifs : les populations juives de la Zone occupée devaient porter une étoile jaune comme signe distinctif et toute liberté de mouvement leur a été supprimée. Les premières rafles ont été conduites par la police française sous supervision allemande. La plus célèbre, celle des 16 et 17 juillet 1942, a conduit plus de 12 000 Juifs parisiens au Vélodrome d'Hiver, où ils ont été entassés plusieurs jours avant d'être emmenés vers le camp de la mort d'Auschwitz. Parallèlement, le gouvernement de Vichy a commencé à procéder à de nombreuses arrestations en Zone libre. Les déportations ont eu lieu jusqu'à la libération de la France à l'été 1944. En tout, près de 80 000 Juifs de France ont été déportés vers les camps d'extermination d'Allemagne et de Pologne occupée, et seuls 2 000 en sont revenus vivants.

Bien que de nombreux Français aient été indignés par ces mesures, un sentiment général d'apathie a prévalu tant que les principales victimes étaient de nationalité étrangère. Le tournant dans l'opinion publique ne s'est vraiment produit que vers la fin de l'année 1942, quand les rafles ont commencé à concerner indistinctement réfugiés, immigrés et nationaux, hommes, femmes et enfants, en Zone Nord comme en Zone Sud.

Les enfants étaient la cible de la politique génocidaire des nazis au même titre que les adultes. Entre 1940 et 1944, 11 000 mineurs ont été déportés depuis la France et exterminés. Parmi eux, 6 000 avaient moins de 13 ans, 2 000 avaient moins de 6 ans[1]. C'est dans ce contexte que la mère de Marguerite a décidé de cacher ses deux fillettes en 1942. Elle a pu alors compter sur un réseau d'organisations clandestines, juives et non juives, établies dans le but de résister à l'oppression nazie et vichyste et de sauver le plus grand nombre possible d'enfants persécutés.

L'organisation chargée d'aider la mère de Marguerite, le Service d'Évacuation et de Regroupement des Enfants (le S.É.R.E.), était affiliée à l'Œuvre de Secours des Enfants (O.S.E). L'O.S.E. était une organisation juive présente à l'échelle mondiale œuvrant dans le domaine de l'aide à l'enfance et de la santé publique. Elle a établi en France une filière de prise en charge d'enfants, connue sous le nom de *Circuit Garel*[2]. Dès septembre 1941, l'O.S.E. a décidé de cacher les enfants juifs dans des familles non juives car la direction avait compris les terrifiantes implications des mesures discriminatoires à leur égard. Ainsi, Marguerite et Henriette ont été placées chez des catholiques et en particulier ont

1 *Encyclopedia of the Holocaust*, dir. Robert Rozett and Shmuel Spector. Jérusalem, 2000, pp. 220-221, 352-353 ; Serge Klarsfeld, *Le Mémorial de la déportation des Juifs de France*, Paris, 1978.

2 Yehuda Bauer, *American Jewry and the Holocaust: The American Joint Distribution Committee, 1939-1945*. Detroit : Wayne State University press, 1981, pp. 246-250.

été cachées à plusieurs reprises dans des couvents. Souvent, les membres de l'O.S.E préparaient les enfants et leur apprenaient les connaissances de base du catholicisme. Mais dans le même temps, l'Œuvre tentait autant que possible de donner aux enfants la conscience de leurs origines familiales et religieuses[3]. Dans le récit de Marguerite, c'est leur mère, Mme Elias, qui initie ses filles au catholicisme et leur explique les rudiments du culte.

L'O.S.E. avait pour mission de prospecter des familles d'accueil, de placer les enfants juifs et d'assurer le suivi une fois le placement effectué. Il fallait également fabriquer de fausses pièces d'identité, trouver des cartes d'alimentation et rémunérer les personnes qui cachaient des enfants[4]. Tout cela s'effectuait dans des conditions très difficiles où dominait le besoin d'être discret. Dans le récit, Marguerite et Henriette passent d'un lieu d'accueil à un autre – ce qui n'était pas exceptionnel – et, à chaque fois, elles sont conduites par une accompagnatrice. L'auteure honore la mémoire de deux d'entre elles, Estelle Eskenazi et Colette Mayer Wormser, à qui elle dédie également son livre. Mais la petite fille qu'elle était durant la guerre ne fait que mentionner ces femmes sans vraiment songer – comment l'aurait-elle pu? – qu'elles risquaient leurs vies pour amener les filles dans leurs familles. Un épisode en particulier a dû être extrêmement périlleux : lorsque les enfants vont rejoindre leur tante Sonia qui vivait alors en Zone Sud, ce qui signifie qu'il leur a fallu passer la fameuse ligne de démarcation qui était très surveillée. On peut imaginer les risques que cette opération représentait et admirer le courage de la femme qui escortait les enfants.

Toutes sortes de motivations expliquaient la prise de risques par les civils qui cachaient des enfants chez eux. L'attrait d'un appoint financier n'était pas négligeable mais ne suffit pas, à lui seul, à rendre compte des raisons qui menaient à une telle décision. Les statistiques

3 Yehuda Bauer, op. cit., p. 249.

4 Yehuda Bauer, op. cit., p. 247.

sur la question des enfants cachés établies par Serge Klarsfeld[5] montrent que la France est l'un des pays d'Europe occupé par les Allemands où l'on compte le plus grand nombre d'enfants juifs sauvés.

~

L'histoire de Marguerite nous donne un aperçu de l'expérience de très nombreux enfants de France et d'Europe à cette époque. Sauvés d'une mort certaine, ces enfants n'en portaient pas moins les stigmates du traumatisme enduré pendant la guerre, et ont souvent dû faire face à des questions fondamentales liées à leur identité après la guerre. Dans bien des cas, les organisations d'aide non juives et les familles d'accueil catholiques ont tenté de convertir les enfants dont elles avaient la charge. Même lorsque cela n'arrivait pas, les jeunes enfants éprouvaient naturellement de l'affection pour les adultes qui les protégeaient et certains se sont sentis déchirés à la fin de la guerre, même lorsqu'ils ont eu la chance de retrouver des proches – dont ils n'avaient parfois gardé qu'un lointain souvenir. Adultes et enfants peuvent appréhender sans peine le terrible dilemme qui se pose à Marguerite lorsqu'elle doit décider ou non d'appeler « papa » et « maman » les personnes qui s'occupent d'elle et la cachent depuis presque un an. La petite fille a l'impression qu'en attribuant ces noms à ses parents adoptifs, elle efface le souvenir de ses parents réels. Or elle pense constamment à eux et surtout à son père à qui elle a voué un attachement particulièrement profond. Pendant les trois ans de séparation, Marguerite leur restera absolument fidèle.

L'histoire est aussi intéressante dans la mesure où précisément, l'univers de Marguerite est révélateur de toute une gamme d'attitudes envers la population juive. On y rencontre des antisé-

5 Serge Klarsfeld, *Le Mémorial de la déportation des Juifs de France*. Paris, 1978.

mites, collaborateurs et délateurs. Mais on y trouve également une amie de la famille qui soutiendra et protègera les Elias par tous les moyens en son pouvoir. Quelques personnes manifesteront leur bienveillance en dépit de la mise au ban de la société dont sont victimes les Juifs en général. Bien sûr, parmi les alliés, il faut compter les Chatenay, le couple de fermiers qui a accueilli les fillettes et contribuera grandement à leur survie. On découvre aussi tous ces gens qui aident mais se font rémunérer, ou encore ceux qui prennent peur dès que le risque devient trop grand… Enfin, il ne faut pas oublier la masse de gens absolument indifférents à la situation des Juifs et qui ne leur ont apporté aucune aide.

Pour Marguerite comme pour tous les enfants cachés, témoigner en écrivant le récit de leur vie clandestine est donc capital tant au niveau individuel que collectif. Au niveau individuel, parce que pour véritablement faire face à la réalité douloureuse de ces années de séparation et de peur, il faut pouvoir en parler. Marguerite n'aura jamais eu la possibilité de partager avec sa famille, ni avec sa mère en particulier, le récit de sa clandestinité parce que la consigne dans son environnement immédiat semble avoir été de dire que le passé appartenait au passé et qu'il fallait aller de l'avant. Mais ces années-là ne sont pas restées sages et indolores dans un coin de la mémoire : elles empiétaient constamment sur le présent. Le besoin de témoigner s'est imposé à elle comme une nécessité. De plus, le désir de transmettre cette partie de son histoire personnelle à son fils, Michael, a constitué une motivation très forte.

Au niveau collectif, témoigner importe parce que les générations futures ont le devoir d'apprendre toutes les leçons de la guerre : le pourquoi et le comment du conflit, mais aussi la valeur morale de ceux impliqués dans ce conflit, tant militaires que civils. Il faut rendre hommage à celles et ceux qui ont eu le courage de prendre des risques pour aider leur prochain et dénoncer celles et ceux qui ont choisi la délation et la collaboration.

De plus, l'histoire des enfants cachés est devenue un sujet d'intérêt et de recherche très actuel. En ce début de vingt-et-unième siècle, les plus jeunes survivants de l'Holocauste sont, de plus en plus, les seuls qui peuvent encore nous donner un témoignage direct. Les documents officiels qui existent sur les enfants cachés sont souvent cryptés et peu informatifs, du fait du caractère clandestin des opérations de sauvetage – il s'agissait avant tout de protéger les identités des enfants. Les témoignages directs sont donc une des sources essentielles à la compréhension de cet aspect de la guerre, et le récit de Mme Elias Quddus trouve ainsi sa place dans l'Histoire collective.

Deux autres particularités font sortir ce document de l'ordinaire : la partie portant sur l'après-guerre et l'importance des illustrations. Mme Elias Quddus n'arrête pas son histoire à la Libération. Elle la poursuit au-delà. Car, pour elle, l'enfant cachée, la séparation d'avec sa famille va se poursuivre après le retour à la maison. Sa vie ne pourra reprendre « comme avant » tant la guerre a oblitéré cet «avant».

Mais surtout, le fait que le récit soit illustré de la main de l'auteure le rend particulièrement précieux. Les dessins nous font pénétrer d'emblée dans le monde de l'enfant dont ils ont la fraîcheur et la candeur. Non seulement ils agrémentent le récit mais ils l'étayent aussi par nombre de détails : l'atelier des parents, l'intérieur de la rue de Charonne, les détails vestimentaires, le docteur et ses ventouses, les scènes de la vie à la ferme, etc.

Comme l'a si bien dit l'écrivain israélien Aharon Appelfeld : «Seul l'art a le pouvoir de sortir la souffrance de l'abîme.[6]» Tout le projet de Mme Elias Quddus tient dans cette transformation par la prise de parole qui permet à la femme adulte de prendre par la

6 Aharon Applefeld. *L'héritage nu*. Paris : Éditions de l'Olivier, 2006.

main l'enfant qu'elle était et de la guider vers la lumière, de la faire enfin sortir de l'ombre.

Elizabeth Lasserre et Naomi Azrieli
Août 2007
Toronto

Sources :

Marrot-Fellague Ariouet, Céline «Les Enfants Cachés pendant la Seconde Guerre mondiale aux sources de l'histoire clandestine». In *La maison des enfants de Sèvres*. En ligne, <http://lamaisondesevres.org/cel/celsom.html>. Consulté le 31 août 2007.

Bauer, Yehuda. *American Jewry and the Holocaust: The American Joint Distribution Committee, 1939-1945*. Detroit : Wayne State University Press, 1981

Jackson, Julian. *France: The Dark Years, 1940-1944*. Oxford : Oxford University Press, 2003.

Krell, Robert. «Child Survivors of the Holocaust: The Elderly Children and Their Adult Lives». In Martin Ira Glassner et Robert Krell dir. *And Life is Changed Forever: Holocaust Childhoods Remembered*. Detroit : Wayne State University Press, 2006.

Marks, Jane. *Hidden Children: The Secret Survivors of the Holocaust*. New York : Ballantine Book, 1993.

Marrus, Michael R. et Robert O. Paxton. *Vichy et les Juifs*. Paris : Calmann-Lévy, 1981.

Paxton, Robert O. *La France de Vichy*. Paris : Le Seuil, 1973.

Rousso, Henry. *Le syndrôme de Vichy de 1944 à nos jours*, 2e édition. Paris : Le Seuil, 1990.

Rozett, Robert et Shmuel Spector dir., *Encyclopedia of the Holocaust*. Jérusalem : Yad Vashem/Jerusalem Publishing House, 2000.

AVANT-PROPOS

C'était la belle époque lorsque je suis née, le 4 décembre 1936 à Paris, dans le 19e arrondissement. Mes parents vivaient confortablement de leur clientèle dans le quartier le plus populaire de la ville, aidés d'un ouvrier et d'une bonne. Ma sœur avait deux ans. Notre appartement se situait près du boulevard Voltaire, au milieu de la rue de Charonne, au-dessus du bistrot de la voisine, de notre magasin et de notre atelier. Il trônait brillamment en plein cœur du triangle révolutionnaire que forment les Places de la Bastille, de la République et de la Nation.

Mon père, petit-fils du grand kabbaliste Eliashev, avait dû fuir sa Russie natale avec toute sa famille, vers l'âge de dix ans, à cause des pogroms. Réfugié en Lituanie, il y a rencontré celle qui devait devenir sa femme en juin 1931, à Paris, dans le 14e. En 1925, il a choisi la France démocratique pour y apprendre le droit, que pratiquait son frère Abraham, en Lituanie. Pendant deux ans, il a étudié à l'université et effectué discrètement le petit boulot de porteur à la gare de Lyon, pour survivre indépendamment de ses parents. Il a appris parallèlement le métier d'artisan-fourreur et est rapidement passé maître en la matière.

~

Le 8 mars 1933, après avoir travaillé chez les autres, puis dans leur propre atelier, mes parents ouvrent leur magasin au 99 rue de Charonne et, le 30 janvier 1935, ma sœur vient au monde à Paris, dans le 12e.

Le 11 septembre 1939, papa soumet sa demande d'engagement volontaire. Le 21 mars 1940, engagé volontaire, il est incorporé au 212e régiment d'infanterie et le 13 août 1940, il est démobilisé.

En octobre 1940, l'apposition du cachet « Juif » apparaît sur les cartes d'identité. Le 18 octobre 1940, des administrateurs sont nommés dans les entreprises juives. Le nôtre se nomme Léonce Tourne – une copie d'une de ses lettres de menace figure en annexe.

Le 26 avril 1941, en Zone occupée, interdiction est faite aux Juifs d'exercer des activités économiques. Les administrateurs nommés dans leurs entreprises ont le droit de vendre celles-ci à des aryens, ou de les liquider.

Le 2 juin 1941, la mention « Juif » devient obligatoire sur les cartes d'identité et de rationnement. Le 12 août 1941, une première rafle a lieu à Paris, au moment où s'ouvre le camp de Drancy.

Le 13 août 1941, ordre est donné de confisquer les postes de radio (T.S.F.) et les bicyclettes appartenant aux Juifs. Les P.T.T. (postes, télégraphe et téléphone) suppriment les téléphones installés chez les Juifs.

Le 20 août 1941 une rafle touche pour la première fois spécifiquement le 11e arrondissement. Papa est arrêté à son domicile, au lever du jour, par trois Français, et mené au camp de Drancy.

Le 7 décembre 1941, interdiction est faite aux Juifs de changer de résidence et ils n'ont plus le droit de circuler. Le 12 décembre 1941, 1 000 Juifs, en majeure partie français, influents et intellectuels, sont arrêtés à Paris. Le jour même, papa est remis par la préfecture aux autorités d'occupation.

Le 7 février 1942, une ordonnance allemande interdit aux Juifs de sortir entre 20 h et 6 h.

Le 27 mars 1942, les premières déportations de Juifs français ont lieu ; 1 000 notables juifs sont envoyés dans les camps de la mort. Papa fera partie de ce Convoi no 1.

Le 19 avril 1942, extermination de mon père.

Le 29 mai 1942, les Juifs âgés de six ans et plus sont obligés de porter l'étoile jaune «solidement cousue aux vêtements».

Le 8 juillet 1942, interdiction est faite aux Juifs de fréquenter les salles de spectacle, les restaurants, les jardins publics, etc. Ils n'auront le droit de faire leurs achats qu'entre 13 h et 16 h.

Sur 75 721 déportés de France, 2 500 seulement sont revenus.

~

Mon récit commence en 1941, suivi d'un court retour en arrière sur l'exode de Paris. Je reconstruis l'image historique du 99 rue de Charonne. Je revis cette époque, recréant l'ambiance de mon enfance, du bonheur, de mes joies mais aussi du malheur, de mes peines, de mes peurs et de mes révoltes face à l'injustice et l'incompréhension. Je raconte aussi la succession d'adaptations forcées, puis l'acceptation inévitable de la tutelle de remplacement, avec le sentiment de culpabilité qui s'en est suivi.

Enfant gâtée durant mes premières années, il m'a fallu enfouir l'heureuse période avec la mauvaise, comme s'il était criminel après-guerre de se souvenir d'avant. Afin de pouvoir faire face aux troubles qui me hantaient et de pouvoir affronter les nouveaux qui se présentaient, j'aurais dû être écoutée. Mais il m'a été catégoriquement interdit de parler de mon expérience et je ne pouvais y penser sans me sentir coupable. Mon jugement ne comptait pas, ma souffrance n'existait pas. Parce que j'étais trop vieille à onze ans, la direction de l'école Cité Voltaire me supprima le premier prix que j'avais pourtant mérité, cédant à la pression des parents des élèves de dix ans. La dispense d'âge nécessaire pour entrer au lycée (vu ma date de naissance en décembre 1936), m'a été impitoyablement refusée.

Je démontre ce que le poids du secret a engendré en nous. Ma sœur, accablée par un trop-plein de responsabilités, ne pouvait assumer son autorité sur moi sans être tentée d'en abuser jamais…

Je témoigne ma reconnaissance et ma gratitude envers tous ceux qui m'ont secourue et protégée, malgré la détermination de l'État à voler nos parents et à laisser les Allemands nous assassiner.

J'ai écrit ce livre afin d'immortaliser cette tragédie qui a marqué nos vies et pour souligner la place que le respect et l'amour y ont tenue. Je dénonce les administrateurs de Vichy à qui nous avons dû abandonner nos biens, en nous cachant comme des malfaiteurs, pour sauver nos vies à n'importe quel prix.

Cachée

Première Partie

SOUS LA PROTECTION DE MES PARENTS.

C'est la rue de mes amours, celle qui m'a donné le jour...

LE BONHEUR

**OUILLETTEMENT BLOTTIE AU CREUX DE MA FORTERESSE DE COUSSINS, JE ME REPOSE POUR SOIGNER MON RHUME.** Une chaude caresse me chatouille le bout du nez et des picotements multicolores traversent mes paupières closes. Je dors, je dors, je dors, je dors… Car si je veux sortir dehors, je dois recouvrer ma santé.

La T. S. F. fredonne: *La rue de nos amours… On y voit rôder le soir, des amoureux dans les coins noirs…* C'est une chanson que mes parents adorent et qui les fait valser!

Les ronflements de la machine à coudre de maman ont repris de plus belle, Rrr… Rrr… Rrr… Rrr…, l'un derrière l'autre, à la queue leu leu. Ils font vibrer les pieds du fauteuil au centre duquel on m'a installée, en face de la fenêtre ouverte. Et comme les feuilles des arbres dans le vent, mes draps frissonnent. Au rez-de-chaussée, on entend la locomotive gronder et, dans sa lancée, je vagabonde au pays des songes. Je rêve à mille histoires et j'en oublie ce qui m'entoure.

Je me laisse bercer par le bruit du train. Les wagons n'en finissent pas de passer. STOP! Tout le monde descend! Les tremblements ont cessé, le bruit s'est arrêté, lui aussi. Seule la musique continue son chemin mélodieux. Je ne veux plus fermer les yeux, j'appelle « Maman! Maman! » Personne ne m'entend. De son côté, l'ouvrière sur sa machine à coudre tousse un peu, aspire une bouffée de sa cigarette, prend une autre pièce à surjeter et repart de plus belle. Son nuage monte jusqu'au ciel, et je flotte à califourchon dessus, sans quitter ma rue.

Le téléphone sonne! Une fois, deux fois, trois fois! Je ne dois pas décrocher avant la quatrième sonnerie. Je voulais prendre cet appel mais quelqu'un l'a déjà fait, je n'ai pas de chance aujourd'hui!

Quand tata Sonia me parle, ça dure longtemps, si longtemps qu'il arrive qu'on nous coupe la conversation. Mais elle me rappelle aussitôt pour me dire « À bientôt! » Sonia est si jolie, avec ses cheveux blonds dorés et ses yeux bleu azur… Elle est tellement parfumée que je lui fais plein de bisous et de câlins pour m'imprégner de son odeur. Elle nous gâte quand elle vient et tout le monde l'aime.

Le soleil me fait cligner des yeux, je n'ai plus froid, je l'accueille avec joie! J'écarte le col de ma chemise de nuit et m'expose à cette douce chaleur. Le temps d'une pause et le bien-être m'envahit. Je dois guérir.

Ce matin, papa m'a confié que nous irions tous à la campagne l'été prochain. Il a fait la découverte d'une propriété entourée d'un jardin. Nous pourrons y courir dans l'herbe, pieds nus, bien entendu. Et y crier à volonté sans jamais se faire gronder! J'ai hâte d'y aller, de m'amuser avec lui tous les jours.

MA CHIENNE CHOUKETTE

Sur la table garnie à souhait, il y a une assiette. Et dans l'assiette, des gâteaux secs, quelques carrés de chocolat, un morceau de sucre pour Choukette et un verre de lait pour moi. Je bois d'un trait!

Recroquevillée à mon chevet, museau en l'air frémissant d'envie, la chienne guette le signal qui lui permettra de partager ce régal. On va s'offrir un de ces goûters! Les oreilles dressées, elle se tient prête à bondir. « Allez! Fais la belle! » lui dis-je. Mademoiselle se dresse coquettement sur ses pattes arrière et pousse des jappements aigus!

Mais je lui rends la vie dure. Sans sortir de sous mes couvertures, je lève le précieux rectangle blanc qui l'attire comme un aimant! Pendant que Choukette trottine sur place, je tiens impitoyablement sa récompense, suspendue au bout de mes doigts car je suis tenace! D'un seul coup, elle s'élance plus fort que d'habitude – si haut qu'elle en perd l'équilibre – et elle attrape le sucre dans sa gueule! Elle le croque bruyamment, en agitant sa queue, comme elle seule sait le faire et je m'en moque gentiment: «C'est que c'est bon ça, que c'est bon, n'est-ce pas?»

Elle m'envoie son regard suppliant, disant à sa façon : «Qu'est-ce que tu attends pour me faire venir dans ton nid?» Alors, inévitablement, je lui tends les bras et hop-là! En un rien de temps, la voici près de moi, me léchant le visage de sa langue mouillée et collante. Bah! Ça ne me dérange pas du moment qu'elle ne me mord pas. Elle n'est jamais méchante avec moi. Je m'essuie sur mes manches.

Je la câline, le long de son dos, en commençant par le haut :

« Do, ré, mi, fa, sol, la, si, do ». Il ne faut pas contrarier le poil des animaux, ce sont les paroles de maman.

Choukette est frisée comme un agneau. Elle est complètement blanche, sauf à l'avant de son cou, où l'on peut voir la tache noire qui la distingue des autres caniches. Inutile d'aller la chercher, elle ne s'est jamais perdue! Elle a un flair si exceptionnel qu'elle me sentirait de l'autre bout de la terre. Lorsque nous sommes dehors, je n'ai pas besoin de beaucoup l'appeler au risque d'ameuter le quartier. Elle sait où il ne faut pas entrer.

Nous avons mangé toutes les friandises, je suis rassasiée. Tranquillement, je me recouche, avec le goût du chocolat dans la bouche. Nous sommes si bien, au chaud, toutes les deux. Elle se vautre sur le doux édredon. C'est un cadeau de la mère de maman, tout comme les coussins – un pour chacune mais tous pour moi, en ce moment.

Malheureusement, je ne connais ni mes grands-mères, ni mes grands-pères, ils sont trop loin! Quand mes parents en parlent, je dois me taire car ils ont du chagrin. Ma sœur rentre de l'école, soyons silencieuse.

III

LE BISTROT DE MADAME HORTENSE

« **Hue! Hue! Huhau!** » hurle le marchand de vins, arrêtant ses chevaux devant le bistrot de nos voisins. Je ne dois pas changer de place.

Madame Hortense ouvre la trappe de la cave aux livreurs et, l'un après l'autre, ils descendent leur fardeau dans les bras ou sur le dos, pour ensuite les entasser en piles. Puis ils remontent à la surface. Le propriétaire ferme la trappe en ordonnant de sa voix forte : « Allez boire un verre au bar, les gaillards! C'est ma tournée! » Les robinets sont ouverts toute la journée. Pendant ce temps, tout doucement, les crottins de cheval tombent dans le caniveau au bord de la route. Ils répandent une odeur qui va me marquer.

Cette odeur me rappelle l'exode de Paris car c'est la même qu'à l'écurie qui nous a abritées.

Papa s'engage comme volontaire, 1939-1940

L'EXODE DE PARIS

Je déteste les Allemands à cause des bombardements.

Il a fallu nous enfuir au plus vite, pour que ça ne nous tombe pas sur la tête. « Heureusement que nous n'avons pas donné la poussette, répétait maman tout énervée. Ça pourrait bien durer longtemps! » Nous avons sorti la poussette de l'atelier et nous y avons mis le strict nécessaire puis nous avons fermé la porte à clef, laissant Choukette aboyer désespérément. Elle doit malheureusement garder la maison.

Nous nous faufilons entre les gens dont quelques-uns me sont familiers. « Dépêche-toi Marguerite! » Je ne vais jamais assez vite. Alors maman me fait monter sur la poussette. C'est seulement lorsque nous montons ou que nous descendons qu'elle m'enlève de là. C'est trop lourd! Il faut deux hommes pour la soulever. Ça n'est pas facile à trouver, quand tout le monde est pressé. Mais dès que maman montre de l'argent, deux individus acceptent de nous aider.

D'abord le métro. Même en première classe, ce n'est pas confortable! Pas assez de place. Puis nous prenons le train, qui ce matin, est bondé. À la gare, on ne parle que de la guerre. Maman me fait grimper en premier. Quelqu'un bloque l'entrée et nous sommes coincées à l'extrémité du wagon. Avec beaucoup de mal, maman nous

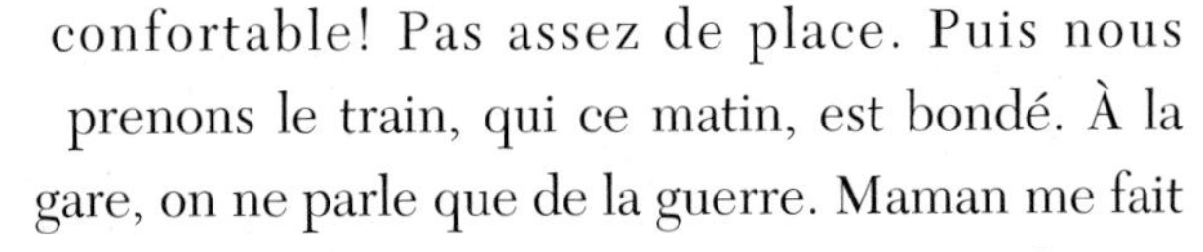

installe, ma sœur et moi, sur nos affaires. Une grosse femme qui ne sent pas bon, nous sépare de ma mère. Si papa était là, il nous aurait trouvé un meilleur endroit, mais il est à l'armée.

À L'ARMÉE!

Il était si beau, mon papa, dans son uniforme de soldat, avec son calot et ses boutons dorés. Depuis que je l'ai vu à l'armée, mon envie de pleurer continue. Car nous sommes allées à la caserne, toutes les trois, au moins deux fois! Maman n'arrête pas de le raconter.

Nous avons visité son dortoir si enfumé qu'il y avait de quoi s'asphyxier! À l'exception de mon père, presque tous les militaires se promenaient la cigarette au bec. Il a remis discrètement ses cartouches de cigarettes à « Rachel ». Ici, c'est comme ça qu'il l'appelle, ou «chérie!»

Ma sœur comptait tout haut tout ce qu'elle voyait, des chaises jusqu'aux lits. Elle aimait se vanter. Je n'osais pas la contrarier et je me taisais pour faire plaisir à papa qui n'aime pas qu'on se mette en avant.

Nous portions les robes roses du dimanche et des chaussettes blanches, avec nos sacs et nos souliers en vernis noir. Il était content de nous voir. Il m'a embrassée et a rangé l'eau de Cologne qu'on lui avait apportée dans sa valise. « Comme elles sont mignonnes, tes poupées et que leurs vêtements sont beaux! », remarquaient ses copains pour le taquiner. Et lui, de répondre fièrement : « C'est ma femme qu'il faut complimenter, c'est elle qui les a habillées!»

Ils semblaient gentils, ses nouveaux amis, mais un tant soit peu malpolis. Mon père les empêchait de dire des gros mots devant nous, surtout : « Mon *salaud*! » Leur langage ne me dérangeait pas du tout, au contraire, ça m'amusait beaucoup. C'était plus drôle que d'entendre parler du temps passé. Ils ont trinqué : « À la santé! À la paix! Au retour dans les foyers! » en buvant cul sec du cognac que nous avions apporté. Nous avons partagé le gâteau au fromage, mon favori, celui que maman avait cuit dans son moule à gâteau juif. Ils en raffolaient!

Puis ce fut le moment des au revoir, des dernières confidences entre mari et femme et du pénible silence parce que l'on se quitte : « À bientôt, mes chères petites, soyez gentilles avec maman! » Mes parents se sont enlacés interminablement, à l'écart, dans le vestibule. L'aiguille de la pendule pointait l'heure du départ. Nous nous sommes embrassés très fort et nous sommes parties sans nous retourner.

LA FERME DE FONTAINEBLEAU

C’est à l’écurie que nous avons dormi. À notre arrivée, il faisait déjà nuit, mais la fermière n’avait pas laissé de lumière.

« Vous arrivez trop tard, j’ai tout loué, c’est complet! Vous comprenez le français? J’ai plus de place, dit-elle à voix basse.

– Logez-nous où vous pouvez, nous sommes si fatiguées, insiste maman, sortant une autre liasse de billets. Tenez, voici une avance. L’endroit n’a pas d’importance.

– Hélas, chère Mme Elias, il ne me reste qu’à l’écurie, sur la paille. » Où veut-elle que l’on aille? À l’écurie? Ai-je bien compris?

Elles s’y dirigent en discutant pendant qu’Henriette court devant. On doit traverser la basse-cour, entre les poules, les canards et les oies. Dans cette cacophonie de coin-coin, même les lapins ont leur mot à dire. Les cochons me font très peur. Celui-là renifle mes cuisses de son museau mouillé. J’en suis pétrifiée.

« Dépêche-toi, ma fille! » crie maman. J’avance lentement. Les yeux des vaches brillent à mon approche. Elles ont l'air féroce. Les chevaux sont attachés au portail. À la place du bétail, des familles entières sont alignées par terre. Aidée d'Henriette, maman traîne la poussette jusque dans un coin obscur.

Elles étalent la couverture et placent les oreillers par-dessus. Et contre maman vêtue de sa fourrure, je me couche dans la mienne, non sans me plaindre :

«Ça pique quand même!

– Arrête de geindre, ma petite. Dors sans faire d'histoires», suggère-t-elle sévèrement. Docilement, je me recroqueville dans ma tanière.

Je me réveille brusquement, un bébé braille effroyablement, jusqu'à ce que sa mère lui donne le sein. J'entends, au loin, les bombardements gronder. J'ai froid. Je grelotte du bout des doigts jusqu'au fond de mes bottes. J'ai envie de faire pipi! J'avertis maman, en la poussant, d'abord gentiment et de plus en plus brusquement. Elle ronfle, la bouche ouverte.

Ma sœur s'est découverte, et pire encore, elle délire! Je serre les fesses, en gigotant dans tous les sens. Je hurle dans le silence : « Maman! Ça presse! Maman! Maman! » Ça y est! Ça descend… «Tu ne vois pas que tu déranges ta sœur qui a de la fièvre?» Je me mords les lèvres de honte.

«J'ai fait dans ma culotte.

– Qu'est-ce que tu racontes?

– J'ai fait dans ma culotte!»

Elle remonte mes vêtements et m'essuie durement, l'air fâché. Après avoir tout jeté sur le tas d'ordures, elle éteint la lampe de poche. Je me suis recouchée et sans broncher, je me suis assoupie.

Le lendemain matin, au son du coq, tous les Parisiens manigancent…

C'est à celui qui ira faire sa toilette en premier. Henriette a encore vomi. J'en profite, en vitesse, pour aller voir ce qui se passe dehors. De justesse, j'évite une bouse de vache, quelle horreur!

Dans l'après-midi, ma sœur va mieux. Elle recommence à raconter des histoires, au lieu de manger comme tout le monde, mais personne ne la gronde. J'ai bu autant de lait que je pouvais, avant de rentrer chez nous. Nous n'avons plus de sous, mais plein de paquets : des œufs frais, du beurre, du jambon et le fameux saucisson des fermiers.

Nous retrouvons la chienne qui est malade car elle n'a pas eu ses promenades. Je la prends dans mes bras. On est tellement mieux chez soi!

L'ARMISTICE

Papa en a mis du temps pour quitter son régiment et rentrer à la maison! « Heureusement que c'est la morte saison! » répétait maman sans arrêt. C'est Choukette qui l'a reconnu en premier, du bout de la rue. Il avançait dignement, en militaire! Même la police l'a salué au passage, devant tous les voisins. C'était la fin de l'été. Il a distribué des bonbons aux enfants du quartier. Puis, il a posé son baluchon et s'est assis devant la boutique où il m'a prise sur ses genoux. En lui caressant la figure, j'ai crié : « Tu piques! »

Et il m'a répondu en riant : « C'est moins doux que la fourrure, mais c'est meilleur! » Nous avons fait la fête jusqu'à minuit, puis nous sommes allés nous coucher.

LE VIOLON DE MA SŒUR

Aujourd'hui, Henriette prend sa leçon de violon. On n'entend qu'elle dans la maison. Pas d'école le jeudi, jour où mademoiselle

Aubertin vient du matin jusqu'à midi. Chaque cours commence par des gammes et se poursuit par un morceau. Aujourd'hui elle répète *À vous, dirais-je maman, ce qui cause mon tourment?* Mais cet instrument est impitoyable! Il n'a pas son pareil pour torturer mes oreilles! Je n'ai pas d'autre choix que de me les boucher.

La studieuse élève pratique sans trêve pour avoir des compliments : «Comme tu as fait des progrès! Maintenant, c'est parfait! Tu deviens une excellente violoniste!»

Pourquoi n'a-t-elle pas choisi d'être pianiste? Quand Hélène joue du piano, à l'étage au-dessus, ça ne me gêne pas du tout, au contraire, j'aimerais pouvoir en faire.

Mademoiselle Aubertin m'envoie plein de sourires. Je sais ce que cela veut dire : après chacun d'eux, elle me demande si je veux apprendre. Personne ne peut comprendre l'effet que cet instrument a sur moi! Quand l'archet glisse sur les cordes, je crisse des dents! Et puis, le violon est trop long et trop lourd, et mes bras sont trop courts. Non, ce n'est pas pour moi. Je préfère dessiner comme les artistes du Sacré-Cœur. C'est pour cela que je persiste à refuser les propositions de mademoiselle Aubertin.

Lasse de les entendre, je vais dans ma chambre, sous mon lit, retrouver mes amis : la chienne et mes poupées. Mais ne voilà-t-il pas que mademoiselle Aubertin, dont je reconnais les pieds, s'assied juste au-dessus de moi. Elle joue *Le beau Danube bleu, tout bleu, si bleu*... J'ai envie de valser, mais je ne peux pas bouger, serrant Choukette qui agite sa queue sur ma figure. La jeune femme chuchote gentiment :

« Ne veux-tu pas essayer, vraiment? »

Je ne suis pas si sotte qu'elle le croit. J'hésite avant de répondre :

« Non.

– Tu n'apprécies pas la musique?

– Si, mais le piano, c'est plus beau!

– Et moi, tu ne m'aimes pas? Je ne te vois presque plus. Ton père serait fier si tu jouais aussi du violon.

– J'ai dit non, ça ne suffit pas, non?

– Et les chocolats, est-ce que ça te plaît? Regarde! J'en ai gardé quelques-uns, tu les vois? »

Elle descend sa main remplie de bouchées odorantes à portée de mon nez! Elles sont si appétissantes que j'ai du mal à retenir l'animal qui aboie dans mes bras. Elle se penche sous le lit :

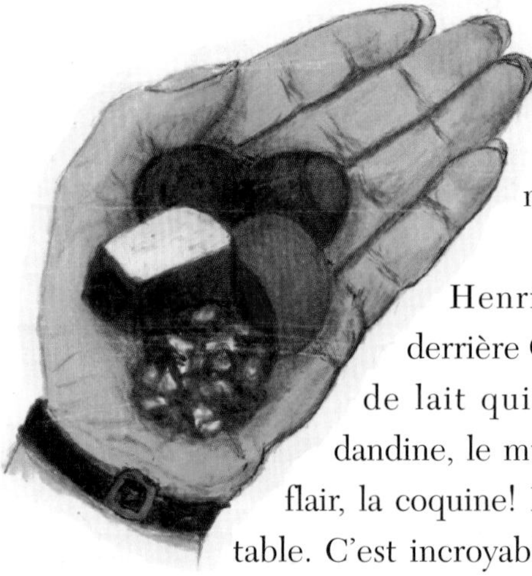

« Au revoir, bébé! À bientôt, j'espère! Je vais être obligée de les donner à ta sœur qui va se faire un plaisir de les manger. »

J'attends qu'elle ait rejoint Henriette et je cours à la cuisine, derrière Choukette, pour y boire le verre de lait qui m'attendait. La chienne se dandine, le museau en l'air, c'est qu'elle a du flair, la coquine! Elle a senti les chocolats sur la table. C'est incroyable! Les voyez-vous dans le bol, exprès pour nous? Je les casse en morceaux en prenant soin de cacher les gros dans mon coin : « Allez, fais la belle! » Et hop! Elle les attrape au vol!

GEORGETTE FAIT LA DIFFÉRENCE

Henriette a les cheveux bruns de maman, mais les siens sont des baguettes de tambour! C'est pour cela qu'elle tire les miens, elle essaye de me les défriser. Ce n'est pas parce qu'elle a deux ans de plus que je dois la suivre comme une oie! Je suis grassouillette car je tiens de ma mère, mais je ressemble à mon père. Ma sœur dit que ce n'est pas vrai, mais je ne l'écoute pas.

Henriette est si difficile à table que Georgette, la bonne, la sermonne continuellement: «Tu vas tomber malade, mon enfant, si tu ne te nourris pas davantage. On doit manger à ton âge! C'est pas pour rien que ta maman se plaint que tu sois maigre comme un clou. Bon sang! Elle qui achète toutes ces bonnes choses pour vous!» La maigrichonne fait une grimace de dégoût, cela ne la dérange pas du tout. J'avale mon lait avec plaisir, elle s'obstine à le détester. Je déguste mes œufs à la coque avec de la baguette beurrée. Elle dit qu'elle n'arrive à les avaler qu'en omelette ou durs. Elle ne goûte même pas à la purée de pommes de terre! Elle n'est contente qu'avec des frites croustillantes.

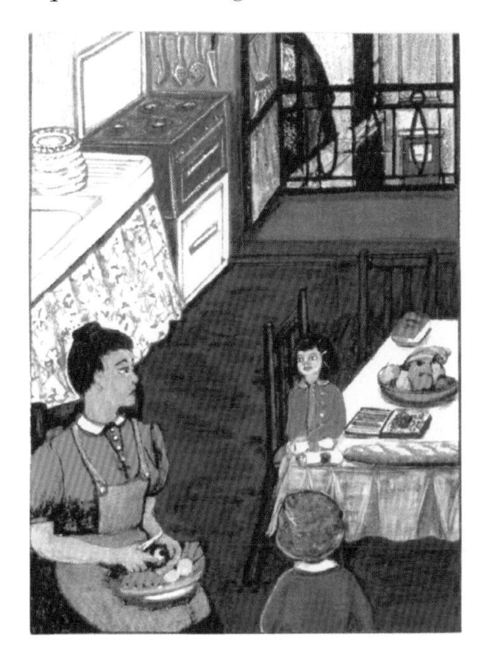

Notre cuisinière comble mes désirs, je mange avec appétit jusqu'à la dernière miette. Je m'amuse quand elle répète à ma mère : «Que le diable m'emporte! Si la grande ne mange rien, c'est que vous cédez à ses quatre volontés! » Avec les desserts, pas de problème puisqu'elle les aime; elle va jusqu'à prendre de ma crème en plantant sa cuillère dedans! Par contre, je lui cède volontiers ma part d'ananas. Elle l'adore et le dévore rapidement.

Georgette nous régale de pâtés, de tartes aux pommes, et comme elle est bretonne, de galettes vraiment délicieuses! Elle ne badine pas avec la nourriture, assurément! Ce qui fait dire à mes parents qu'elle est sur mesure, comme leurs vêtements de fourrure...

NOUS MANGEONS À LA CUISINE

Quand il n'y a que nous à la maison, nous mangeons à la cuisine, mais s'il y a des invités, à la salle à manger. La fenêtre donne sur le coin de la cour. Elle est tellement proche de celle de la voisine qu'avec Mme Hortense, nous pouvons nous tendre la main pour nous dire « Bonjour! », sans que je perde mon équilibre, les pieds sur la chaise. Nous nous échangeons quelquefois de la monnaie pour le magasin, du bout des doigts, mais je préfère aller dans son bistrot boire un verre de lait, un diabolo ou, s'il fait froid, un chocolat chaud.

Il y a toujours beaucoup d'hommes chez elle, même des Allemands! Ceux-là ne sont pas méchants, ils l'appellent par son prénom et me donnent des bonbons.

Aux repas, on m'assoit sur ma chaise de paille que l'on pose sur le divan car je suis trop petite. Ma sœur voudrait avoir une chaise aussi, mais elle doit se contenter du bottin téléphonique sous son derrière. Elle se croit plus intelligente que moi

parce qu'elle est la première à l'école et qu'elle sait lire le journal. Papa dit que c'est normal puisqu'elle a appris à lire. Je me console, en pensant que bientôt ce sera mon tour. J'espère que mon cartable sera moins lourd que le sien.

Du haut de ma chaise, je laisse sciemment choir les morceaux de gras que je n'aime pas, pour notre chienne qui les adore, et elle en redemande!

Henriette n'a pas entamé son plat que j'ai déjà terminé le mien.

« Tu n'as pas honte! » sermonne ma mère, désespérée qu'elle n'apprécie pas le délicieux dîner qui a été préparé. C'est alors que mes parents lui lancent la pire des piques : « Tu devrais suivre l'exemple de Marguerite! »

Henriette me regarde de travers, me faisant ainsi comprendre que je ne perds rien pour attendre. Tant qu'elle est surveillée, inutile de m'inquiéter.

Quand mon père se fâche, en fronçant les sourcils, c'est pour que l'on sache qu'il ne faut pas faire les idiotes. Il met l'index sur sa bouche et l'on entendrait une mouche voler. Sinon, c'est la fessée! On l'aura voulue! Moi, je n'en ai jamais reçu… Mes parents mangent à l'angle de la table, avec une assiette pour deux, comme des amoureux. Chacun a son couvert, mais ils partagent le verre, soi-disant que ça fait moins de vaisselle à laver. La vérité, c'est qu'ils en profitent pour se chuchoter des mystères dans leur langue étrangère.

Nous devons manger en silence. Ce n'est jamais moi qui commence à parler car, premièrement : « Les enfants sages ne jacassent pas en mangeant »; deuxièmement : « Il n'y a que les vilaines qui parlent la bouche pleine »; troisièmement : « C'est malpoli d'interrompre les adultes ». Attention! Nous sommes punies si nous n'obéissons pas. Ils sont sévères, nos parents!

Souvenir de mon premier festin d'anniversaire.
Il y avait de nombreux invités qui ne figurent pas sur cette partie de la photo.

LA BOUTIQUE BLEUE

Nous habitons au-dessus de notre boutique, de l'atelier et du café. L'entrée abrite l'escalier qui mène à notre appartement, au premier. Sur l'enseigne, suspendue entre nos deux fenêtres dans la rue, se lit en lettres blanches sur fond bleu : *À L'ARTISAN FOURREUR*. On ne peut pas se tromper. Un renard décore le centre. On peut l'apercevoir de loin.

Notre vitrine est bleue ainsi que les murs et les tentures à l'intérieur, c'est bon pour la fourrure dont elle est remplie. On y vend des manteaux, des vestes, des fourrages, des garnitures, etc. On y voit un étalage de chapeaux, de moufles et de chaussons en peau de mouton et en agneau retourné. Il y a même des semelles de toutes les pointures pour poser dans les souliers.

Mes parents sont des artisans. Ils confectionnent les vêtements avec des peaux de bêtes tannées qu'ils achètent chez les pelletiers. Ils savent les choisir, les assortir, les couper, les mouiller et les clouer avec le marteau. Avec la pince, ils les étirent dans tous les sens et les laissent sécher sur la planche. À la craie, ils tracent les traits autour des patrons en carton. Et enfin, ils découpent l'excédent, ce qui efface les marques automatiquement. Après, ils cousent les morceaux à la machine, les assemblant bord à bord.

C'est fascinant. Je les regarde travailler jusqu'à ce qu'ils baissent le store. Le lendemain matin, ils ajustent les pièces sur le mannequin ou sur la clientèle. Ils transforment aussi de vieux modèles en nouveaux qu'ils rendent plus beaux! Ce qui faire dire à nos clients que ce sont des magiciens, compliments qu'ils acceptent volontiers.

Quand ma sœur part à l'école, je m'installe derrière la porte de la boutique. Je me colle le nez contre la vitre et j'attends impatiemment que quelqu'un entre chez nous. Mais quand une cliente arrive, je sors toujours. Je recule jusqu'à l'atelier et j'observe à travers la dentelle du rideau, mains derrière le dos. Bien cachée, c'est amusant! Les femmes bavardent avec maman, et devant la glace à trois faces articulées, elles se pavanent en prenant toutes sortes de poses. Je les imite discrètement et je peux rester ainsi toute la journée si je le veux. C'est comme au Guignol, mais je rigole en silence! Pendant les essayages, je suis très sage. «Encore une journée de finie! Nous l'avons bien gagnée!» soupirent mes parents, fatigués mais contents.

En hiver, toute la famille porte de la fourrure, même papa! Sur son paletot, il a un col en agneau des Indes gris et un chapeau assorti. Maman a plus de garnitures que lui. On en met partout, jusque sur les lits. Nous avons des coussins, des couvertures et des tapis en fourrure. Nous portons tous des moufles et des vêtements de fourrure de même facture.

J'ai deux ensembles en lapin. Le premier en garenne rasé, de couleur blanche, qui est pour dimanche. Il se compose du manteau, du chapeau en forme de tambourin attaché d'un ruban, et pour me réchauffer les mains, d'un manchon suspendu à mon cou par un cordon. Je l'aime beaucoup. Le second, en castorette marron avec capuche et mitaines, est pour la semaine, il est moins salissant. J'ai également un putois entier avec pattes, tête et queue. Maman l'a reconstitué! Elle a mis une forme dans son museau, des yeux de verre qui brillent aussi bien à l'endroit qu'à l'envers, et de la ouate dans le corps. Avant de le mettre autour du cou, je le secoue très fort et le tortille comme une marionnette! Les filles le caressent doucement et les garçons en ont tous peur!

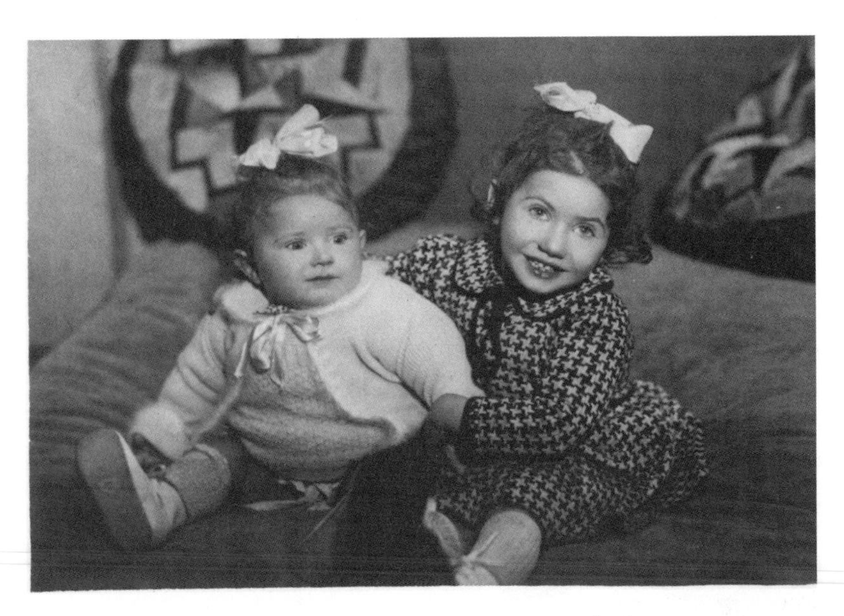

«Il y avait de la fourrure partout, même sur les lits.»
Souvenir de mon premier anniversaire, 4 décembre 1937.

LES DIMANCHES EN FAMILLE

Nous faisons la grasse matinée. Au lever du jour, sur la pointe des pieds, nous allons nous glisser dans le lit de nos parents. Chacune

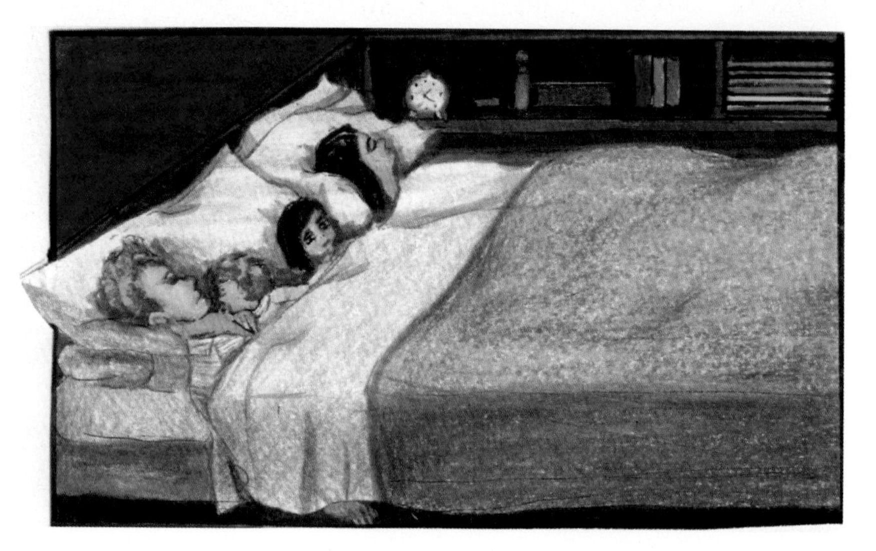

de nous se met à son tour au milieu. Pas question de nous disputer, on nous renverrait nous coucher dans nos lits! Papa met son bras sous mon cou et je m'endors contre lui. Quand le réveil sonne dix heures, sans attendre une seconde, et sans un mot, il se lève pour aller prendre sa douche aux bains municipaux.

À son retour, nous quittons le lit et c'est maman qui part. Elle reste plus longtemps que lui, se lave dans une baignoire et va chez le coiffeur durant des heures. Elle est si belle quand elle revient que papa l'appelle « mon amour ». En l'attendant, dans la cuisine, papa nous met dans la bassine à moitié remplie d'eau tiède. Il nous savonne le dos à toutes les deux. Puis à l'aide de la cuvette, il nous arrose par-dessus la tête. Je protège mes yeux avec mon gant de toilette. Nous éclaboussons partout en riant comme des folles! Après, il nous frotte avec la serviette pour nous essuyer. Et nous nous habillons tandis qu'il éponge le plancher. Impossible d'en profiter pour lui monter dessus, ce n'est pas le moment! Tout doit être net au retour de maman.

Nous mangeons en vitesse les restants de la veille, et selon le temps qu'il fait, nous organisons l'après midi. S'il y a du soleil, nous allons au jardin du Luxembourg, notre favori. S'il fait moins beau, les Tuileries, le Bois de Boulogne ou celui de Vincennes, le plus proche de chez nous. S'il pleut, nous allons chez tonton Léon, mais le plus souvent chez tata Sonia, métro Strasbourg St-Denis. Elle habite au 67 rue Notre-Dame de Nazareth.

Nous allons au cinéma aussi. Pour le mériter, Henriette finit son assiette. Moi, je préfère le théâtre de marionnettes avec Guignol qui raconte des histoires et nous pose des questions. Il nous confie ses secrets et ne cache pas ses inquiétudes à cause des méchants qu'il attrape à chaque fois! Il les frappe de son gourdin et tout finit bien. On crie tellement fort qu'on nous entend de très loin. Nos parents attendent tranquillement, assis sur le banc. Il lit, elle tricote, et ensemble, ils bavardent. Aujourd'hui, puisqu'il fait beau, c'est le Luxembourg que nous avons choisi. Nous y allons en métro.

Nous montons à Charonne et saluons quelques connaissances. Nous sortons en face de l'immense jardin. Nous faisons des tours de manège et papa nous loue deux petits bateaux à voile qui s'éloignent dans l'eau. Je cours autour du grand bassin, ne quittant pas des yeux mon bateau. Lorsqu'il s'approche du bord, je le repousse à l'aide d'un bâtonnet. Mes parents nous observent.

Ils nous achètent un cerceau en bois presque aussi haut que moi. Je le fais rouler devant moi, le tapotant avec une petite baguette. Un coup de côté pour le redresser et un par derrière pour qu'il accélère. Mais je tombe et me salis, au désespoir de maman, qui me console pourtant : « Ce n'est pas grave, mon enfant! » Si je me suis fait mal, c'est fini, je dois m'asseoir auprès d'elle, et compter pour me distraire, les oiseaux, les dames, ainsi que leurs chapeaux.

Quand nous prenons la bicyclette, nous la mettons dans le taxi de Nicolas, un ami de papa qui habite au 97 rue de Charonne. Il nous fait rire pendant tout le trajet. Nous ne nous ennuyons jamais! Papa a placé une poignée en bois derrière la selle, exprès pour moi. Je m'y accroche, collée sur Henriette car c'est sa bicyclette! Une barre dépasse de chaque côté des roues, je peux même m'y tenir debout. Ce que je déteste, c'est qu'elle exagère : à chaque chute, elle m'accuse! Ce n'est quand même pas de ma faute si elle perd les pédales! « Tiens-toi droite Marguerite! » Heureusement que mon père accourt vite. Il suit toujours de près.

Quand nous retrouvons maman, le pique-nique est prêt. S'il fait vraiment beau, nous allons ensuite boire un verre au bar et restons jusqu'au soir. Nous rentrons dans le noir, fatigués, mais contents.

CHOUKETTE A *PISSÉ* SUR LE MUR DU PROPRIÉTAIRE!

« **Papa! Papa! Choukette a *pissé* sur le mur de Monsieur Gellé!** Il l'a frappée! Elle s'enfuit! » Le grossier personnage hurle de rage et de dégoût : « Sale chien de Juif! Ça *pisse* n'importe où!

– Non, pas n'importe où! » dit mon père, fier d'ajouter d'un ton sérieux : « Les sales chiens de Juif savent où *pisser*, Monsieur! »

LES JOURS FÉRIÉS DE LA MORTE SAISON

Les jours fériés de la morte saison, mes parents travaillent à l'atelier. Puisque l'usine d'électricité est fermée, nous nous amusons dans la cour. Nous courons, nous crions à ne plus nous entendre, en compagnie des enfants de la concierge, qui vivent à sept dans une chambre! Ils ne payent pas de loyer, ce sont les cousins de monsieur Gellé, notre propriétaire!

Je préfère jouer avec Hélène, notre amie du deuxième. Elle va avoir quatorze ans. Elle fait la maîtresse ou la maman. Les planches servent de cachots pour ceux qui ne sont pas sages, ceux qui le sont reçoivent une tranche de son gâteau. Hélène et Henriette servent la dînette. Je ne les dérange pas lorsque je mange.

L'ARRESTATION DE MON PAPA

Une avalanche de coups me réveille brusquement. Mon cœur bat très fort. C'est la porte de la cour. Il fait à peine jour. J'entends papa questionner :

«Qui est-ce?

– Police! Ouvrez! C'est la police!»

Je tremble, cachée derrière les rideaux. Un bombardement de pieds martèle l'escalier. Ils arrivent dans la pièce. Les voix s'entremêlent. Je distingue celle de mon père, contestant leur façon de procéder. Les agents paraissent méchants!

«On m'arrête, pourquoi? Au nom de quoi? Et de quel droit? Je suis en règle!»

Le chien aboie et Maman le prend dans ses bras.

«Nous avons l'ordre de vous emmener. Prenez le strict nécessaire et suivez-nous.

– M'emmener pour aller où?» Papa ne se laisse pas faire.

«Habillez-vous, dépêchez-vous!

– C'est une erreur!» reprend mon père en colère. Je suis morte de peur… Maman se lamente, mains sur la tête: «*Oye vey iz mir… Oye vey iz mir…*», répète-t-elle. Papa pince ses lèvres, en murmurant:

«C'est une erreur, il y a erreur…

– Vous êtes Juif, non? Alors pas de discussion!!

– Mais je ne m'en cache pas! Je me suis déclaré moi-même, à l'appel du Gouvernement! Je peux vous le prouver, j'ai tous les papiers!»

On l'empêche de bouger:

«Hé-là! Touchez à rien!!

– J'ai besoin de mes papiers!!» Papa force son chemin: «Regardez! Vous voyez bien! Engagé volontaire pour la durée de la guerre! Et voici ma déclaration en question et celle des impôts, vous voyez bien que je suis en règle…»

L'agent, impoli, lui coupe la parole:

«Vous n'en êtes pas moins Juif! C'est suffisant. Quant au reste, vous l'expliquerez au Commissariat, ça ne nous regarde pas!» Papa va chercher ses habits. «Où allez-vous? Restez ici!» Ils le suivent pas à pas… Mon père reprend:

« Voyons, soyez raisonnables devant ma famille, mes petites filles… Vous savez bien que je ne suis pas un criminel! Je suis commerçant, j'ai une clientèle! On me connaît dans le quartier. C'est insensé…

– C'est assez! Dépêchez-vous si vous ne voulez pas qu'on vous emmène comme ça! »

Papa rétorque :

« Ayez au moins la politesse de nous laisser nous vêtir en privé!

– Pressez-vous donc au lieu de discuter! C'est pas le moment de bavarder. Faites ce qu'on vous ordonne, sans nous *emmerder*! »

Ah! Si je pouvais crier : « Papa *n'emm*… personne! » Il s'habille rapidement en fronçant les sourcils. Maman a enfilé sa robe de chambre, puis ses bas. Elle a les yeux hagards et moi, je suis effarée. Elle leur tourne le dos. Je ne crois pas qu'elle nous voie, moi et ma sœur, dans ce chaos.

Ils m'ont réveillée. Pieds nus, grelottante de froid, je sens tout à coup une douce chaleur m'envelopper les orteils… Mon Dieu! Ma sœur vient de faire pipi par terre… Je retiens ma respiration mais j'ai envie de hurler.

Papa a déjà son pantalon, sa chemise et son gilet. Il se hâte de faire le nœud de sa cravate. Les agents observent mes parents du coin de l'œil, je tremble comme une feuille. Oh! que je suis malheureuse… Papa lace ses souliers et se relève. En ajustant son veston, il ajoute :

« Il ne me reste qu'à faire un brin de toilette, de l'autre côté, si vous le permettez!

– Pas du tout! Vous vous moquez de nous? »

Ils l'empêchent d'y aller.

«Je dois prendre mon rasoir, LAISSEZ-MOI PASSER!

– Pas d'histoires!» crie le plus féroce des trois. Ils rient aux éclats! Papa en profite pour ouvrir le tiroir. L'un d'eux lui touche la main : «Ça suffit Eliash, hein! Nous en avons d'autres à aller chercher.» Papa fait semblant de ne pas entendre : «Rachel, rappelle-toi ce que je te dis : les certificats de nationalité française des enfants sont là-dedans! Appelle Mme Graziani, s'il s'avère nécessaire... Ne t'inquiète pas pour moi : je n'ai pas l'intention de me laisser manipuler par des fonctionnaires...» Ma mère continue ses lamentations qui m'exaspèrent. Papa change d'attitude et avec politesse implore :

«Donnez-moi encore un instant, seul avec ma femme...

– Vous allez nous demander qu'on vous tienne la chandelle?» bafouille un ignoble agent! «Pas l'temps...», braille le troisième devant la porte, «Des fois qu'il sorte! Il en profiterait pour se sauver, ce lapin; ils sont malins!»

Je n'ose pas bouger. J'ai les jambes ankylosées. Vous serez punis! Ah, si papa avait son fusil! Il parle en yiddish maintenant... Je ne comprends pas ce qu'il dit, je m'en fiche, ils ne comprennent pas non plus : «Finie la comédie! On est en France, ici! Allez, ouste!» crie un agent qui le bouscule au milieu de l'entrée. La chienne bondit sur le malotru, le mordant de toutes ses dents. L'autre lui flanque un coup de pied dans les côtes, en gueulant : «Nom d'un chien de sale bête! Canaille!» Pauvre Choukette! Maman la berce de ses «*Oye vey iz mir...Oye vey iz mir...*». Que veut-elle donc dire?

«Calme-toi, Rokhalé! T'en fais pas...» assure papa. D'une secousse, on le pousse sur le palier. «Laissez-moi embrasser mes enfants!» réclame-t-il avec fermeté. J'ai les chevilles qui vont céder. «Elles n'auront qu'à vous suivre au 97, c'est là que nous vous réunissons.» Ce numéro est dans ma tête: la maison de Nicolas! Papa a mis son chapeau de travers, le col de son paletot est à l'envers. Maman lui tend sa petite valise : « Voilà quelques vêtements... » précise-t-elle avec tristesse.

Ils descendent en débandade. Je les regarde éberluée, du haut de l'escalier, puis je suis maman, comme une somnambule, jusqu'à la fenêtre de la cuisine. Papa veut entrer aux cabinets, ils l'en empêchent! Ils l'empoignent par le bras et le traînent comme un forçat!

La concierge trouve ça rigolo, à l'abri derrière sa fenêtre. Elle m'énerve celle-là! « À bientôt! » hurle papa, penchant sa tête en arrière. Il n'est pas bête, mon père, elle verra quand il reviendra! Les agents et papa vont si vite que, lorsque nous arrivons à la fenêtre sur la rue, ils sont déjà loin. « Il ne s'est même pas rasé et n'a rien mangé... » balbutie maman, affligée.

Nous voyant, ma sœur et moi, elle change de ton : « Habillez-vous, on va l'accompagner! » Je ne me suis jamais tant pressée. Maman s'est joliment arrangée. Elle tient un paquet dans ses mains, au cas où papa en aurait besoin. Elle part avec Henriette, sans fermer la porte. Elle revient me prendre et fonce à toutes jambes, Henriette nous suit.

Nous voici dehors. Ouf! Ils sont encore là! Nous allons revoir papa! Nous sommes chaussées de nos pantoufles. Il est en conversation avec le Dr David, le Dr Waïsman qui est dentiste, M. Salonès et d'autres gens. « Moëshalé... Moëshalé! » appelle maman. Ça y est! Il nous a vues! Il se retourne, bras tendus. Je suis émue. Il fait un grand pas en avant. « Halte-là! Bougez pas de là! » fait un homme méprisant. Nous nous approchons toutes les trois. Et d'un bond, ma sœur et moi sommes dans ses bras. C'est incroyable ce qu'il me serre, je ne m'en fâche pas, au contraire! Je m'attache à son corps et je dévore son visage. Il ne partira pas sans moi! Je l'embrasse malgré les piquants de sa barbe. Il me regarde droit dans les yeux. Je ne pourrai plus le lâcher…

Qu'est-ce que c'est que ce vacarme? Une voiture vient d'arriver. Les policiers braquent leurs armes! «Mes chères petites, Henriette et Marguerite, il faut se quitter maintenant, mais pas pour longtemps! Soyez gentilles avec maman, évitez les tracasseries inutiles, c'est promis?» Nous faisons signe que oui.

Quelqu'un ouvre la belle grille et on place les hommes en file. Papa relâche son étreinte en se baissant pour nous faire descendre toutes les deux. Je ne veux rien entendre. «Voyons mes enfants, c'est au tour de maman!» Je m'agrippe encore plus, j'ai le droit à mon âge. « Il faut se quitter, je dois parler avec elle. » Il me repousse doucement. Elle pleure, il la console et la cajole à mes dépens. Dans ma douleur, je suis jalouse.

Il enlace tendrement son épouse : «Calme-toi, Rokhalé, calme-toi, s'il te plaît!» Ils se chuchotent des choses à l'oreille… «La liste est complète! On embarque, messieurs dames!» Les agents font l'appel, séparent brutalement les femmes des hommes : « David! Eliash! Solanès! Waïsman!… » On les entasse comme des sardines dans la traction kaki. Papa s'incline et crie : « Courage, Rachel! Courage, mes enfants! À bientôt!»

J'ai trop de peine. Maman marmonne entre ses dents : «Courage, Moïshinké, courage!» J'ai mal au ventre, il faudrait que je rentre. Les tractions démarrent à vive allure. Nous faisons des signes de la main vers la voiture, qui disparaît dans le lointain.

Le jour se lève, avec ma haine. J'ai le cœur si lourd…

NOUS DORMONS DANS DES VALISES

Dans la soirée de la rafle de papa, madame Dupont, une cliente de mes parents, nous emmène chez elle, Henriette et moi. Nous tournons au coin du Palais de la Femme en vitesse, nous marchons, nous marchons, nous marchons! Je n'ai même pas le temps de regarder par où nous passons pour me rappeler le chemin. Je prie que nous nous arrêtions enfin!

« Numéro 23! » s'exclame Henriette. « Chut! » fait la dame, ajoutant : « Quelqu'un pourrait vous reconnaître! C'est pour cela que je n'ai pas pris votre maman. Il nous faut prendre des précautions, être bien sages, à cause des arrestations. » Nous montons au deuxième étage. Et nous mangeons un petit peu avec la dame et son mari. Avant que nous nous couchions, elle explique :

« Vous allez dormir dans ces valises! Si quelqu'un frappe à la porte, je baisse les couvercles, et hop! je les glisse sous notre lit. Est-ce que vous avez compris? Car si la police vous apercevait, elle vous emmènerait. Alors, nous sommes d'accord? Bonne nuit. »

Elle rejoint son mari qui ronfle depuis longtemps. Elle ne tarde pas à en faire autant. Si maman était là, ce serait mieux. Je ne peux pas fermer l'œil. Je m'étire et me redresse, et sur la pointe des pieds, ma sœur et moi allons à la fenêtre. Il fait noir, mais nous pouvons apercevoir l'enseigne bleue des douches municipales, presque en face. « Là! Tu la vois? Nous sommes rue Jules Vallès, près de chez nous! La rue de Charonne est au bout, chuchote Henriette. S'ils nous embêtent, nous nous sauvons sans le dire à personne. » J'ai changé dix fois de positions avant de parvenir à m'endormir. Le lendemain, nous essayons de partir, mais le couple nous rattrape au vol, par le col de nos manteaux. Ils nous grondent : « Ah! bravo, les enfants! » C'est dangereux en ce moment. Nous devons attendre avec patience. Nous avons joué avec leurs chats durant trois jours, avant l'heureux retour à la maison.

SOUS LA PLUIE

Maman nous a placées à la campagne chez une gentille dame. Je mange bien, je bois du lait à volonté, le chat se laisse cajoler. Nous nous balançons chacune à notre tour sous l'arbre de la cour. La dame ne se fâche pas du tout. Quand il lui reste un moment, elle bavarde avec nous. Mademoiselle Aubertin est venue ce matin, avec un paquet plein de vêtements, de la part de maman.

Il commence à faire froid. La dame écrit à maman pour obtenir des vêtements plus chauds. Mais c'est la concierge qui lui répond :

> *Chère Madame,*
>
> *Saviez-vous que vous n'avez pas le droit de garder des enfants juifs chez vous? C'est contre la loi. Si vous ne les ramenez pas dans le plus bref délai, je me verrai obligée de vous dénoncer à la police. Il ne tient qu'à vous de ne pas être complice…*
>
> *Madame Decuinière*

« Comment faire? » se demande la femme en essuyant ses larmes. Elle nous relit la lettre. « On me condamnerait parce que vous êtes chez moi! Non. Je n'ai pas vraiment le choix. » Elle sort sa bicyclette. À l'aide d'Henriette, elle range nos affaires dans la valise qu'elle attache en arrière, sur le porte-bagages. Elle récupère le reste qui nous appartient, ne négligeant rien. Elle entasse l'ensemble dans un carton qu'elle place à l'avant du guidon. Vêtues de nos imperméables, nous grimpons dessus. Ce n'est pas confortable! « Je ne peux pas faire mieux », répète-t-elle, assise au milieu. Malgré le mauvais temps, elle pédale avec acharnement, contre le vent et la pluie, en pleine nuit, sans regarder l'heure.

Ça m'est égal, je n'ai plus peur, je vais retrouver maman. Nous ne croisons pas même un chat, tout au long du chemin. J'ai de l'eau dans les mains, à travers mes gants. Mes pieds sont trempés jusqu'aux os.

Nous arrivons à Paris au lever du jour. Je me réjouis du retour. « Bientôt, nous serons chez vous! » articule la paysanne essoufflée. J'ai hâte d'y être. Je peux à peine ouvrir mes yeux. Nous nous arrêtons. Nous y voilà! La pipelette n'est pas à sa fenêtre, tant mieux! Tout le monde dort. Nous cognons quelques coups sur la porte, et dans un record de temps, ma mère m'emporte dégoulinante dans ses bras. Oh, que je suis contente! La nourrice ne monte pas. Elle gonfle ses pneus avec la pompe puis elle se sauve dans la rue.

Je ne l'ai jamais revue…

LA COUR DU 99

Hélène répète à son piano. La concierge observe ce qui se passe, derrière ses carreaux. Avant de mettre nos poubelles dans la rue, elle fouille dedans et ramasse tout ce qu'elle peut. Pourtant, ma mère lui donne nos habits pour ses enfants et parfois même de la nourriture. Elle est si curieuse que ça met maman en colère. Elle veut savoir d'où vient notre courrier et qui nous l'a envoyé! Les Maillard du 4e ont une jeune fille qui s'appelle aussi Henriette, elle est gentille. On ne les voit pas souvent. À la noirceur, monsieur descend leur seau dans les W. C. Si par malheur ça déborde, il hurle : « Léon! Viens donc nous déboucher les *chiottes*! » Mais le mari de la concierge prend le temps d'enfiler ses vêtements, en jurant grossièrement.

Les Pallarès du 3e font comme madame Weinstein, locataire du 2e, ils frappent à sa porte, en criant : « S'il vous plaît! ». Quelquefois, ça sent tellement mauvais que je suis obligée de me boucher le nez.

Le dimanche matin, l'usine est fermée, ainsi que tous les magasins, sauf le café de madame Hortense qui ferme le lundi. Parmi ses clients, il y a toutes sortes de gens, même des Allemands, des femmes très maquillées et habillées trop légèrement… Je les vois de chez nous dans la chambre à coucher. Il m'arrive d'écouter et de bien rire. Il y a les poivrots qu'elle fiche dehors quand elle est de mauvaise humeur, criant : « Va cuver ton vin ailleurs! » Il s'en dit des bêtises, chez madame la tenancière!

Il y aussi des hommes élégants avec chapeau et gants, comme papa. Maman leur confie des colis pour qu'ils les emmènent à Drancy. Après, nous ne les voyons plus et nous apprenons que mon père ne les a pas reçus. Les paquets qui sont très gros, nous les remettons à madame Moireau ou à madame Graziani. Malheureusement, Drancy n'est pas à Paris… Papa a besoin de son eau de Cologne pour se laver, de saucisson et de boîtes de sardines pour ne pas mourir de faim, de coton et d'aspirines pour sa tête… Maman s'inquiète tout le temps.

LA MARELLE

Nous jouons à la marelle sur le trottoir, à un endroit où maman peut nous voir. Ce ne sont pas les craies qui manquent à la maison ni les crayons. C'est moi qui trace, Henriette écrit les chiffres et les noms et c'est elle qui décide, naturellement.

Nous lançons le palet, une boîte de bonbons vide, et nous le poussons en sautillant à cloche-pied. Nous montons vers le Ciel, jusqu'aux numéros 7 et 8, et là, jambes écartées, nous nous retournons vite, et nous continuons la route en sens inverse. Nous redescendons jusqu'au numéro 1 puis jusqu'à la Terre, le seul endroit où nous pouvons nous reposer à pieds joints. Nous repartons de nouveau, en suivant les numéros. Si nous marchons sur un trait, ou si nous tombons, nous avons perdu, mais le jeu continue. Nous recommençons pour gagner la prochaine fois! Nous nous amusons bien toutes les deux, quand nous le voulons.

DES ALLEMANDS DANS MA RUE

« **Une! Deux! Une! Deux!** » Je cours aussi vite que je le peux et je m'installe au coin de la porte cochère. Des Allemands passent, c'est la guerre. Certains ne regardent rien, d'autres observent autour d'eux. L'un d'entre eux me sourit, mais je me tiens loin de lui. «Une! Deux! Une! Deux!» Tels des pantins articulés, les soldats lèvent leurs pieds. Leurs bottes brillent au soleil et le martèlement claque dans mes oreilles! « Gauche! Droite! Gauche! Droite! » Ça gargouille dans mon ventre, je me dépêche de rentrer.

SALES JUIFS!

Depuis la disparition de papa, rien ne va plus. Henriette se fâche de plus en plus. Georgette vient moins souvent et maman ne m'écoute pas comme avant. Choukette pleure l'absence de son maître. Quand je dois la sortir pour faire pipi, on dirait que l'on m'observe. Tout le monde m'énerve! Je promène le chien quand il n'y a personne aux alentours. Quelqu'un a gribouillé « SALES JUIFS » sur notre rideau de fer et sur celui des Bieder. Il paraît

qu'on a confisqué des téléphones et des radios chez des Juifs que l'on connaît. «Celui du haut, je ne le rendrai jamais!» jure maman.

Le lendemain, elle ouvre le magasin à l'employé des P.T.T., un monsieur en uniforme. Il coupe les fils du téléphone, malgré ses supplications : « Comment vais-je faire pour mes clients? Laissez-nous au moins celui de l'appartement! » Il reste sourd à ses demandes. Il remplit ses papiers, en pose un sur le bureau et quitte la boutique, l'appareil sous son bras, en s'exclamant : « Montons au second, maintenant! »

Je monte l'escalier à reculons, sur la pointe des pieds et je me cache à la limite de la cuisine. L'employé et maman sont dans le salon. Je m'approche doucement, mine de rien. Il recommence la même chose avec le poste du haut, puis il plonge les deux appareils dans son grand sac qu'il enfile sur l'épaule. Non, ce n'est pas drôle du tout. Il sourit, en disant : « De toute façon, il vaut mieux fermer votre commerce, les Juifs se dispersent un peu partout, vous le savez bien! » Et il s'en va clopin-clopant, emportant nos téléphones.

Maman pleure sur ses documents. Elle n'a pas fermé les verrous. « Je ne pourrai plus appeler tata, ni tonton, ni répondre au quatrième coup. » Tout va mal en ce moment. Dans sa dernière lettre, papa se plaint de ne pas recevoir ses colis, même pas ceux confiés à nos amis, qui n'ont pas pu le voir. Où sont-ils donc passés? Pourquoi papa reste-t-il là-bas? Je ne comprends pas.

Assise sur la marche du bas, maman se lamente : « *Oye vey iz mir... Oye vey iz mir...*! » Puis elle se lève subitement en me disant : « Je vais au café prévenir des gens, viens-tu avec moi? » Je réponds : « J'ai pas envie, j'aime pas les ivrognes, moi. Je préfère rester ici. » Elle ferme l'entrée du magasin, sort par derrière, puis elle court chez les voisins. J'ai horreur de ce silence. Je perds patience. Je grimpe lourdement jusqu'au palier, traverse la grande pièce déserte et m'installe entre les volets entrouverts.

Une femme s'arrête devant chez nous. Elle agite la poignée, sans succès, évidemment. Elle recule légèrement, lève les yeux et crie : «Y a quelqu'un?» Je me fais toute petite, elle répète : «Y a-t-il quelqu'un?» Toute la rue va savoir que maman est ailleurs, que le fourreur est absent. « Madame Elias! » hurle-t-elle. Je respire profondément, m'avance prudemment sur le rebord de la fenêtre et lui réponds en montrant du doigt : «Elle est à côté, là!

– Fais attention, ne tombe pas!» dit-elle gentiment. Puis elle se regarde dans notre miroir, s'arrange les cheveux, se met un peu de rouge à lèvres et entre au bistrot. Je vais écouter la radio.

Madame Graziani nous a promis de faire libérer papa, ça ne devrait plus tarder. Il ne faut pas s'inquiéter. Les bras chargés de paquets, elle remet le plus gros dans les mains d'Henriette : «C'est pour vous deux! » insiste-t-elle. Ma sœur fait un sourire puis elle déchire l'emballage : c'est une épicerie! Avec une balance et des poids! La caisse est remplie de faux billets, il y a des boîtes de conserves et tout un étalage de bouteilles de vin, de lait, de pots de confitures, de légumes et de fruits… Il y a même un comptoir, avec son tiroir. De vraies miniatures, on va pouvoir jouer à la marchande! «Alors, ça vous plaît?» demande notre généreuse amie. On l'embrasse en la remerciant beaucoup.

«Ce n'est pas tout, j'ai une surprise pour Marguerite», ajoute-t-elle, avec sa gaieté habituelle. Je l'ouvre frénétiquement: c'est un téléphone bleu, flambant neuf, avec une belle sonnette! « Vois-tu, fillette? Lorsque tu décroches, ça fait un déclic, m'explique-t-elle, parle!»

Je crie :

«Allô! Vous m'entendez?

– Bien sûr, inutile de t'égosiller. Tu fais VOL 21-40, et tu attends! Ça y est, tu as entendu?

– Oui, mais quand il n'y a personne au bout de la ligne?» Elle s'indigne : «Regarde-moi faire : “ Allô, oui! Bonjour, tata! Ça va? J'ai un nouveau téléphone! Je peux dire ce que je veux, à qui je veux, quand je le veux, aussi longtemps que je le veux! " Il est à toi, petite! Rien que pour toi! Et celui qui osera te l'enlever aura affaire à moi! » Je lui saute au cou, de tout mon cœur. Je vais appeler mon père tout de suite... Elle ajoute en direction de ma sœur : « Il faut la laisser faire! Maintenant, je vais parler avec maman. Amusez-vous bien. Ne vous disputez pas. A bientôt! » Je fais mon numéro: VOL-21-40 : «Allô, papa?» Je suis contente.

Après les téléphones, c'est notre poste de T.S.F. qu'on nous enlève. Je regarde l'homme qui se presse de le débrancher puis l'emporte sans se soucier de moi, pleurant sur ma chaise. Pourquoi nous le prendre? Nous passons le temps à écouter ma sœur lire le journal pendant que maman travaille en fumant ses *Troupes* et ses *Gauloises*. Elle promène ses nuages de fumée à longueur de journée.

Nous avons tout déménagé l'appartement, à cause de la vieille voisine. Madame Bosch est plus méchante que les Boches. Chaque fois que maman cousait à la machine, elle cognait sur le mur avec sa jambe de bois. Le coin où nous dormions est devenu l'atelier. En bas, c'est fermé, nous n'y allons plus. Tonton a placé les meubles de la salle à manger dans le salon. Il nous a posé un beau papier peint couvert de roses, dans notre nouvelle chambre, autour des lits. Je m'y repose, en jouant à la marchande de l'épicerie. Cette pièce est plus petite, au-dessus de notre boutique, mais il y a moins de bruit qu'au-dessus du bistrot. Ah, si je pouvais écouter la radio! Le tailleur et le cordonnier sont partis ailleurs. Papa n'est pas rentré, j'en ai assez.

LE MARCHÉ NOIR

À la nuit tombante, l'épicier ambulant vient sur son tricycle nous livrer les provisions commandées la semaine précédente. Il est gentil avec nous quand nous lui donnons de l'argent. Nos anciennes clientes amènent leurs fourrures à réparer, très tard dans la soirée. Il paraît que ça s'appelle du marché noir. Nous ne devons pas en parler…

André, l'ouvrier d'avant les Allemands, apporte également du travail à notre mère. Il vient très tôt le matin et reprend l'ouvrage fini le lendemain. Maman ne s'arrête que pour manger et dormir. Elle n'a pas le temps de bavarder ni de rire avec nous. Plus d'histoires drôles à écouter. Plus de nouvelles à discuter. Plus de chansons romantiques, plus de musique, à l'exception du violon.

Je suis un oiseau prisonnier. J'ai beau être sage comme une image, il n'y a plus personne pour m'en féliciter. Mais papa va revenir. C'est madame Graziani qui nous l'a dit. Il devrait être de retour avant mon anniversaire. Je le répète à mes poupées. Ah! si elles pouvaient parler!

LE 4 DÉCEMBRE 1941, J'AI CINQ ANS

Dans le ciel immense, la première étoile luit. C'est ma dernière chance pour que papa vienne avant que la journée s'achève. J'attends, mon nez collé sur la vitre glacée de la fenêtre de la cuisine. Je désespère qu'il vienne ce soir… Dans la cour, la nuit est tombée. Pourtant, lorsque dehors s'avance lentement une silhouette d'homme, je frissonne de joie.

Au rez-de-chaussée, Henriette lit à haute voix les nouvelles à maman qui complète la marchandise qu'elle doit livrer au méchant commissaire gérant. Dans la faible clarté de la lumière de l'atelier, je discerne la trompeuse image du passant. Je suis terriblement déçue. Tel un garçon de café cherchant son client, le vieux tient à bout de bras un paquet orné d'un ruban. Quand il arrive devant notre porte, il frappe chez nous : un coup, deux coups, trois coups, durant lesquels, sur la pointe des pieds, je vais sur le palier. Il continue de cogner. Nous hésitons à ouvrir. « C'est pas parce que c'est la guerre qu'il faut alerter toute la ville ! » soupire maman, se décidant enfin. « Monsieur Salonès ! Vous nous avez fait peur ! Que faites-vous dehors, à cette heure-ci ? » chuchote-t-elle, soudain heureuse de revoir le vieux monsieur qui revenait de Drancy.

« Je m'en excuse, madame. J'ai cette commission à vous remettre, de la part de votre mari… Si je peux me le permettre… » Il lui tend le paquet en ajoutant : « C'est pour la petite, elle s'appelle bien Marguerite ? » J'étouffe d'orgueil et de peine à la fois. « Merci pour ce dérangement, brave monsieur. Si je peux vous être utile à mon tour, n'hésitez pas à me donner un coup de fil ! Non, j'allais oublier que ça nous est impossible… Faites-le moi savoir… Comment vous remercier? Je cours donner le paquet à ma fille. Bonsoir!» Elle ferme les verrous, se retourne, et me voyant debout, en haut de l'escalier, elle grimpe en criant : «Margueritalè! J'ai un cadeau pour toi!» Comme si je ne m'en doutais pas…

Je le lui arrache des mains et je l'étreins. Puis je m'enfuis derrière les rideaux, marmonnant entre mes dents : «L'année dernière, il avait été là, devant mon gâteau, illuminé des quatre bougies. Et dans l'obscurité, c'est à moi qu'il avait souri.» Il avait grondé Henriette, elle n'était pas la petite reine ce jour-là : «Laisse-la éteindre les bougies toute seule» lui avait-il dit, la poussant gentiment.

Il m'avait emportée dans son fauteuil, et tendrement, il m'avait embrassée sur les deux joues, autant de fois que j'avais d'années, plus une, pour l'année suivante. Même s'il n'a pas pu venir cette fois-ci, il a pensé à moi. Je défais le nœud et déchire le papier autour du carton. Je soulève le couvercle et découvre une belle boîte ronde dont la splendeur m'éblouit. Elle est décorée de fleurs et à l'intérieur, j'y trouve les plus délicieux chocolats, enveloppés de papillotes multicolores. Je ris, je pleure, et dans ma douleur mêlée de joie, je crie : «Venez voir!» Nous allons nous asseoir toutes les trois, avec la photo de papa. Maman allume la bougie auprès de son portrait et engouffre un morceau de mon cadeau à sa santé! Ma sœur l'imite : «À ta santé!» Je déguste les miens lentement, pendant qu'elles redescendent terminer la commande. Je prends mon téléphone et j'appelle : «Allô, papa? J'ai une bonne nouvelle pour toi : j'ai reçu ton colis. Merci!» J'ai cinq ans aujourd'hui.

DANS LES MAINS D'UN ALLEMAND

Le soleil vient de se lever. Enfin une belle journée qui commence! Avec ma boîte de chocolats, je suis aux anges! Maman vide nos ordures en face du grand portail, dans les poubelles de la cour. Sans le lui demander, je sors en courant, et hop! un homme en uniforme vert de gris m'attrape par la taille en riant: «Ah! Ah! Ah!» fait-il, me soulevant à bout de bras. C'est un Allemand! Ils sont trois et ils n'arrêtent pas de rire. Je voudrais leur crier: «Lâchez-moi! Il faut que je rentre chez moi!» mais ne peux pas l'articuler. Pendue comme un poisson au bout de sa ligne, je frétille. Il me tient, lui si puissant et moi, si petite. Les trois soldats m'observent bizarrement et baragouinent entre eux leur charabia que je ne comprends pas.

Soudain, ce militaire aux dents étincelantes et à la moustache d'Hitler, s'exclame : « Ine vraie pétite Hallemante! », puis il me laisse enfin descendre sans me lâcher complètement, en ajoutant d'une voix tendre : « Ti vois, jé né souis point méchante! N'est-ce pas? » Je n'attends pas un seul instant! Je prends la poudre d'escampette, et vlan! je me retrouve, pleurnichant contre le ventre de maman. Elle me prend tel un sac de linge sale, et au pas de course, m'emporte jusqu'à la maison. Elle grimpe l'escalier, me jette sur mon lit, et tout essoufflée, balbutie : « As-tu compris maintenant?» J'acquiesce, baissant la tête : «Oui, maman.»

ALLÔ! ALLÔ!

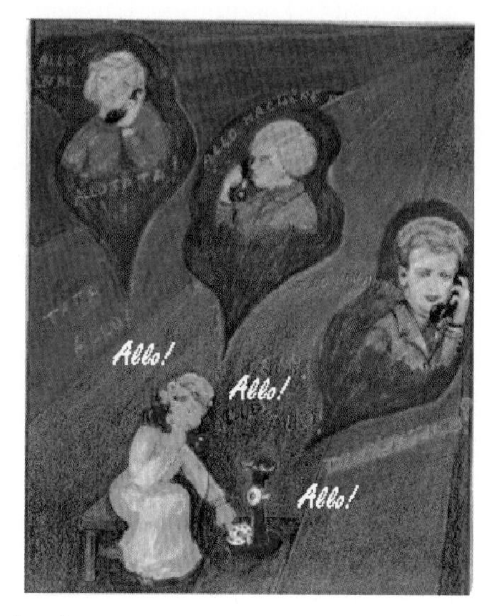

Quand je m'ennuie, j'appelle papa, madame Graziani ou tata Sonia. Quand j'ignore leurs numéros, je fais le «0». C'est impossible de les entendre, mais je sais qu'ils m'écoutent et personne ne m'interrompt. Enfermée dans la chambre, à la lumière du réverbère, je fais VOLtaire 21-40. Quand je n'ai plus rien à raconter, j'invente. Dans mon téléphone bleu, je dis ce que je veux, à qui je veux, quand je le veux…

L'ÉCOLE SAINT-BERNARD

Je vais à l'école rue Saint-Bernard, à côté de l'église Sainte-Marguerite! Je ne suis jamais en retard, bien que je sois la plus petite. La maîtresse est cliente chez nous. Elle porte son vison autour du cou, son chapeau assorti sur la tête et elle me sourit tout le temps! Elle a posé un livre sur mon siège pour me rapprocher du bureau qui est trop haut. Elle nous enseigne le solfège à l'aide du piano : « Do, ré, mi, fa, sol, la, si, do ». Elle nous accompagne pour chanter. Et j'entonne les paroles que je crois être les bonnes : *Au clair de la lune, je n'ai plus de plume*… et *Sur le pont d'Avignon, on y danse tout en rond*…

Nous dessinons, nous colorions, nous comptons sur nos doigts, et quelquefois, lorsque nous sommes sages, elle nous distribue des images. Si nous ne faisons pas de bêtises, elle nous offre même des gâteries. Qu'est-ce qu'elle a été surprise de découvrir que je connaissais déjà l'alphabet! Et que je pouvais le dire au complet! Elle nous apprend à lire et à écrire.

Sur mon cahier, elle a marqué : « Parfait! » Je suis la première à avoir réussi mon prénom, *MARGUERITE*, en bûchettes. Devant les écolières, elle a épinglé la croix de mérite sur mon gilet, j'en suis très fière! J'aime quand on l'admire. Quand je bouge, elle brille sous le beau ruban rouge. Mais je la montre à ma sœur qui s'empresse de me rabaisser : « À la maternelle, ça ne compte pas! » Et dire que je dois quand même rester avec elle à la sortie, en attendant que Georgette passe nous prendre à midi! Nous marchons sur le trottoir, tout le monde doit remarquer ma croix…

En rentrant à la maison, je me regarde dans le miroir du magasin en présence des mannequins. J'ai une bonne raison de le faire, elle est encore plus belle à la lumière! Qu'est-ce que ma mère sera contente! En l'attendant, je n'en peux plus d'impatience. Ouf! J'entends tourner la clef. «Maman! Maman! Regarde ce que j'ai gagné!»

LA VOLEUSE!

« Rends-moi le crayon noir que tu m'as pris! » J'insiste auprès d'Yvette. Les autres filles ne veulent pas me croire, mais je m'entête. « Qu'est-ce qui se passe? » crie la maîtresse en entrant dans la classe. Je dénonce Yvette : « Elle cache mes affaires dans son tiroir! » Mme Petit l'ouvre et s'attarde sur le nom gravé, remarquant bien que c'est mon crayon, elle me le donne, avec la gomme que je croyais perdue. Puis de sa règle de métal, elle tape sur le bout des doigts d'Yvette! Ça doit faire mal, l'autre grimace! « Que cela te fasse comprendre que tu ne dois ni mentir ni voler! » Le temps qu'elle ait tourné la tête, la fillette me murmure : « Tu verras! Tu me le paieras! » Elle me déteste vraiment! « C'est de ta faute! » accuse-t-elle à haute voix. « Non! » je proteste, et la voici au piquet, le nez contre le mur pour m'avoir traitée de menteuse!

Le lendemain, son père l'accompagne à l'école. J'ai peur de ce méchant bonhomme. Heureusement que l'institutrice attend, au seuil de la porte, nous observant du coin de l'œil. « T'es rien qu'une sale petite *youpine*! De la racaille! » me lance-t-il avec mépris. Tout le monde l'entend! Tout le monde rit! Les filles chuchotent entre elles. Qu'a-t-il voulu dire? Si j'avais pu disparaître… Mon cartable est lourd, avec ma boîte de couleurs, l'ardoise, le plumier, l'éponge, le livre et les cahiers. Celui de ma sœur, c'est pire! Et malgré ça, nous devons nous tenir la main pour traverser. Vivement que papa revienne, que ce soit lui qui nous emmène!

LA SIRÈNE!

Un rugissement strident me tire de mon sommeil. Il monte, monte de plus en plus haut, de plus en plus fort et il redescend de plus en plus doucement. Mais ça recommence encore, faisant tout vibrer autour de moi, du plafond jusqu'au plancher. Je tremble, je me blottis dans mon lit. À travers les lattes des volets, la lumière du bec de gaz dessine des lignes sur le mur. Et dans notre chambre obscure, la silhouette zébrée d'Henriette s'immobilise de stupeur.

La porte s'ouvre devant maman, déjà vêtue pour sortir dans la rue. « Vite, les enfants! C'est une alerte! Pas une seconde à perdre! On descend à l'abri. » Elle secoue ma sœur et lui lance ses habits à la figure. Puis elle m'habille de la tête aux pieds. Nous nous pressons, je prends une poupée et mon oreiller, Henriette prend le sien et son cartable plein de livres. Maman nous suit, chargée du sac rempli de provisions, de son tricot, de sa couture, d'une couverture et de son carton à chapeau. Je suis la première dans l'escalier. Je traverse la cour et me retrouve sur le trottoir. Madame Hortense compte les points noirs dans le ciel, sans me

remarquer. Je ne la salue même pas car je cours! Nous voici à l'entrée de l'abri, quelle émotion! C'est ici que nous avons embrassé papa le jour de son arrestation.

Les gens sont tournés vers l'entrée qui est bloquée par un troupeau de femmes et d'enfants. Il y a moins d'hommes, à cause des camps. Nous prenons place dans la queue; c'était bien la peine de courir pour se retrouver à attendre! Le monde s'accumule derrière nous. On se bouscule de tous les côtés, je vais finir par me faire écraser! Maman étend le bras devant un vieux monsieur qui me séparait d'elle et lui demande : « Est-ce que ça vous dérangerait de laisser passer mes petites? » Il nous invite à rentrer devant lui. « Et les nôtres, on les prend pas? » s'insurge la concierge à ma droite, ajoutant : « Les étrangers ont tous les droits… » Qu'est-ce qu'elle radote, je suis française moi!

« Avancez! Avancez! » hurlent les plus pressés. « La ferme! » réplique une voix en colère. « À quoi ça sert de pousser si on ne peut pas avancer? » Un bourdonnement étrange calme la foule. Ça y est, ça bouge! La peur des bombardements… Ouf! Il était temps. « J'y vois plus rien, j'étouffe » dis-je assez haut pour que l'on m'entende. Maman me réprimande : « Tu n'es pas un bébé, mes mains sont occupées, tu le vois bien! »

La lumière s'éteint juste avant que je m'introduise dans le tunnel qui mène aux caves. « Maman! Maman! » j'implore aveuglément. « C'est pas grave, ma poulette, veux-tu monter sur mes épaules? » demande le drôle de grand-père de tout à l'heure. Je grimpe avec difficulté mais de bon cœur. Les gens rouspètent parce que nous nous sommes arrêtés un instant. Ce n'était pas facile avec ma poupée et mon oreiller. Je domine la situation, mais je dois faire attention de ne pas me cogner le crâne. « Vous êtes les fourreurs, n'est-ce pas? Ma femme a été une de vos clientes, elle avait été si contente! » explique-t-il doucement. Je le serre davantage. Je me rappelle les voyages que j'ai faits ainsi sur papa. En fermant les yeux, je crois que c'est lui…

Nous marchons lentement, jusqu'à ce que nous trouvions un endroit pour nous installer par terre, dans cette salle aux murs de pierres. Il fait froid sur la couverture. Mon bienfaiteur partage notre repas à la bougie. Henriette lit à sa faible lueur. Maman tricote pour papa, et moi, je flotte en pensée vers Drancy, où il est interné.

ENFERMÉE DANS LES W.-C.

La maîtresse nous explique qu'il faut qu'on fasse nos besoins pendant la récréation et que, si on la dérange pendant sa classe, elle se fâchera et ce sera la punition, au piquet ou en retenue. Et moi, je n'ai jamais eu de punition. Aux W.-C., j'ai un système : avant de tirer la chasse d'eau et de me précipiter dehors pour éviter de me mouiller les pieds, je prends soin de soulever au préalable le loquet de la porte.

Je refais cet exploit cette fois-ci encore. Je me dresse sur la pointe des pieds, je tends le bras et j'attrape la poignée de la chasse d'eau. Je tire aussitôt, d'un coup sec, et hop! je galope! « Aïe, aïe, aïe », je me suis cogné la tête contre la porte et j'ai les pieds trempés. Je ne comprends pas du tout, la porte ne s'est pas ouverte. Pourtant, j'ai fait ce qu'il fallait. « Est-ce qu'il y a quelqu'un derrière? » Non, ça n'en a pas l'air, personne ne répond.

Dililing! Dililing! C'est la cloche! Nous devons nous mettre en rang pour rentrer en classe. Je m'en veux d'être allée aux W.-C. trop tard. Il va falloir que… « Silence complet! » dit la voix de la directrice, comme si c'était exprès pour moi. Je ne peux pas frapper à la porte sans me faire remarquer. Alors, je pousse de toutes mes forces, elle ne cède pas. Je me mets sur la pointe des pieds et j'essaie de m'agripper, du bout des doigts, au sommet de la porte! Je n'y arrive pas. Je suis trop petite. « Plus un bruit, s'il vous plaît! En rangs, deux par deux, et en silence! » exige madame la Directrice. Elle fait la police : les élèves doivent s'aligner, mains derrière le dos, les yeux baissés, sans dire un mot. Elle est très sévère!

Et moi, dois-je me taire? Une classe rentre. J'ai mal au ventre. Puis une autre...j'ai la diarrhée. Enfin, la dernière classe s'avance... J'ai fini de faire... «Voyons», j'ai des frissons dans tout le corps, « comment sortir de cette prison? » J'imagine les élèves, marchant doucement, et dans ma poitrine, au fur et à mesure qu'elles s'éloignent, je sens la peur qui me gagne. Pas même un chat dans la cour. Rien que moi. « Vous n'allez pas me laisser là jusqu'à la sortie?»

Je colle l'oreille à la porte. J'entends le bruissement des feuilles dans le vent. Il va bien falloir que je m'en sorte, mais comment? Et si je m'allongeais pour passer par-dessous? Ça y est, j'y vais! Je m'allonge par terre mais je ne passe pas et je me suis salie partout. C'est dégoûtant, je pue maintenant. Yvette pourra dire que je suis sale! Je me pince le nez. Je ne peux pas le supporter. Tant pis, je décide de crier : « Aidez-moi à sortir de là! S'il vous plaît! Je suis dans les cabinets! Je veux sortir! Je veux sortir!»

Je n'entends que le silence de cette cour immense. Je suis en prison, mais pourquoi? Allons, debout! Je vais chanter si fort qu'on m'entendra du bout de la terre! «*Au clair de la lune, mon ami Pierrot, prête-moi ta plume, pour écrire un mot. Ma chandelle est morte, je n'ai plus de feu, ouvre-moi la porte, pour l'amour de Dieu!* Vous entendez? M'entendez-vous? Ouvrez-moi la porte, pour l'amour de Dieu!»

Pauvre petite fille, tu t'égosilles inutilement. J'écoute le glouglou de l'eau qui coule du tuyau et les battements d'ailes d'un oiseau qui vole vers le ciel. Des larmes salées dégoulinent dans ma bouche et j'ai la goutte au nez. Je prends mon beau mouchoir brodé et je me mouche dedans. On m'a abandonnée, comme le Petit Poucet de l'histoire, mais ce n'est pas dans la forêt. Pas besoin de miettes de pain pour retrouver mon chemin si quelqu'un m'ouvrait, je serais libre! À force d'être accroupie, je ne sens plus mes jambes. J'ai des fourmis dans les pieds. Ah! si j'étais assez grande!

Mes larmes me donnent envie de faire pipi. Mais je ne tire pas la chaîne cette fois-ci. Les murs sont couverts de gribouillis. Il y a des taches de doigts qui ressemblent à des virgules marron. Et ce clou rouillé, sur lequel sont accrochés les morceaux déchirés d'un journal qui sert à s'essuyer… L'encre des lettres est brouillée. Si ça continue, je vais tomber dans le trou noir. Je crois entendre le méchant loup venir renifler ma chair tendre. Je me tasse, la tête entre mes jambes, au milieu de toute cette saleté. Il fait sombre.

Un bruit s'approche. Je n'ose pas bouger. « Dans lequel est-elle, cette enfant? » C'est ma maîtresse! « Je crois que c'est celui-là », répond timidement Colette. Mon amie! Je crie : « Oui, oui! Je suis là! ». On m'ouvre la porte. Je me redresse rapidement. On me tend les bras et on me fait sortir. Madame Petit me réconforte, me serrant comme si c'était ma maman. Elle m'assoit à ma place et je m'endors sur la table. La cloche sonne! Mme Petit ramasse mes affaires et les range dans mon cartable. Maman m'attend à la sortie. Les deux femmes discutent. Henriette me questionne et m'embête! « C'est vrai qu'on t'a enfermée? Raconte-moi comment ça s'est passé, s'il te plaît. » Je n'ai pas envie de lui parler, je voudrais qu'elle se taise.

Après leur poignée de mains, la maîtresse m'enlace tendrement, en disant à ma mère : « Chère madame Elias, je regrette infiniment, je ne vois pas d'autre moyen. Quant à toi Marguerite, oublie-moi vite cet incident. Continue d'étudier pendant ces vacances forcées. Et bonne chance! À bientôt, Marguerite! » On s'en va très très vite.

Nous rentrons à la maison, sans prononcer un mot, puis comme des affamées, nous mangeons la moitié d'un gâteau pour notre goûter. Je passe mon temps à chercher pour quelle raison je n'ai pas réussi à sortir. Pourquoi me punir en me privant d'école? Les Juifs n'ont plus de téléphone ni de radio, plus le droit d'aller au cinéma ni aux jardins publics. Maman va nous « louer un grand-père » qui nous emmènera jouer au jardin public. Pour l'instant, je n'ai rien à faire, si ce n'est promener le chien.

III

AU LUXEMBOURG AVEC « PÉPÉ »

Il fait très beau, je gave les oiseaux de miettes de pain récupérées ce matin dans ma serviette. L'avant-dernier « pépé » se plaignait que nous étions trop bien habillées par rapport à lui. Maman lui avait pourtant offert un complet de mon père, pour nous accompagner. Mais il nous l'a rendu. Il ne reviendra plus car c'est trop risqué, lui qui était si gentil avec moi. Le nouveau qu'elle nous a déniché nous achète un ballon chacune, avec nos sous. Ils voltigent, légers, au-dessus de nos têtes. Henriette a pris le bleu que je voulais et j'ai eu le jaune. C'est vrai que c'est la couleur du soleil, mais dans mon cœur, ce n'est pas pareil.

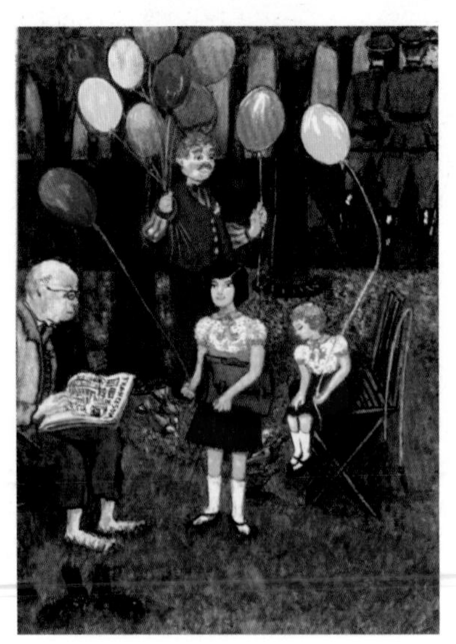

« Pépé » m'a assise sur une chaise mais j'y suis mal à l'aise pour observer les pigeons picorer. « Regardez-moi ces uniformes! » signale « pépé », faisant semblant de se moucher. Dans un silence glacial résonnent des paroles en allemand. Ils sont tout un groupe. Cachant son nez dans son journal, « pépé » marmonne : « Il faut paraître normal, s'en aller discrètement, sans se faire remarquer, comme s'ils n'existaient pas ». Il enfile ses chaussettes et ses chaussures qu'il avait enlevées quand nous étions arrivés au jardin et me prend la main en insistant : « Ne vous retournez pas en chemin. Tout à l'heure, vous serez chez vous. » Nous sortons du jardin. Nous traversons la rue pour nous mettre hors de leur vue et nous nous engouffrons dans la bouche du métro. Nous n'ouvrons pas la bouche jusqu'à notre porte. En rentrant, maman le paye et lui chuchote quelque chose à l'oreille, sans s'occuper de nous, puis il s'en va. « Il est resté moins longtemps, celui-là, mais il voulait plus d'argent », se plaint maman. Je lui raconte tout mais elle ne m'écoute pas. Elle n'a plus de patience pour ça.

Elle coud à la machine sans perdre une seconde. Si nous la dérangeons, elle nous gronde et nous envoie à la cuisine faire les devoirs. À quoi ça sert, si la maîtresse ne peut pas les voir? Son mégot pend lamentablement à ses lèvres. Elle prend une autre cigarette. Elle l'allume en la plaçant au bout du mégot, puis elle inspire profondément, pour réactiver le feu. Elle nous dit à toutes les deux : « Excusez-moi, les enfants, je dois livrer avant la fin de la journée. Je suis en retard. En attendant, débrouillez-vous comme vous pouvez, je dois travailler. Au revoir, mesdemoiselles, j'ai à faire. » Telle une locomotive lancée à toute vitesse, elle recommence à coudre à la machine.

LES BALANÇOIRES AVEC GEORGETTE

Georgette revient tous les matins, elle nous achète du pain frais et du lait. Elle traverse le café et entre par notre porte arrière pour éviter le regard de madame Decuinière. Elle prépare le petit déjeuner pendant que maman travaille en bas, à l'atelier. Puis elle nous emmène au square de la rue St-Bernard où j'allais à l'école. C'est une amie, notre bonne…

«Et que ça saute, Marguerite! Et que ça saute, les petites!» Elle est toujours pressée. Elle est très forte! Elle peut me porter à bout de bras et me faire voltiger. Elle ne me fait pas peur. Quand j'ai gagné la croix d'honneur, elle a hurlé de joie! Et elle a fait, exprès pour moi, une galette digne d'une reine! Je me suis régalée, j'étais toute barbouillée! Elle m'a montré mon visage dans le miroir et nous avons bien ri, puis elle m'a lavée.

Personne n'ose nous déranger quand elle est à nos côtés. Elle raccommode nos affaires, tricote des pull-overs et des jupes, sans jamais nous quitter des yeux. Elle nous pousse toutes les deux à la fois sur les balançoires. Les autres adultes essaient d'en faire autant, mais ils ne vont pas si vite et restent beaucoup moins longtemps. Quand nous apercevons des enfants munis de leurs cartables, nous crions, complices : « Encore! Plus haut! » mais en réalité, nous nous sentons indésirables.

LE PALAIS DE LA FEMME DE L'ARMÉE DU SALUT

À quelques pas de chez nous, au coin de la rue Faidherbe, l'entrée du Palais de la Femme, de l'Armée du Salut, est ouverte à tous les passants. J'y connais plein de dames qui y habitent. Comme son nom l'indique, ce n'est pas pour les hommes. Il n'y en a presque pas. Cette Armée travaille pour Dieu, elle aide les malheureux et les pauvres. Je les vois dehors, parfois, qui racontent leurs histoires. Ils critiquent la guerre et toutes les misères. De nos fenêtres, au-dessus de notre boutique, j'aperçois le côté droit du bâtiment. C'est le plus grand monument du quartier.

En fin d'après-midi, pendant le couvre-feu, alors que tous les gens rentrent chez eux, une lieutenante vient nous chercher, ma sœur et moi, malgré la loi. C'est une de nos clientes, une femme officier! J'aime son chapeau enrubanné de rouge et son uniforme bleu. Elle nous prend la main à toutes les deux et nous amène partager leur fête de Noël. Je suis fière de marcher auprès d'elle bien que j'aie particulièrement peur à cause de l'heure. Mais je me sens protégée. Ce n'est pas pour rien que maman les appelle : «l'œuvre de bienfaisance».

Il y a plein d'enfants, au milieu de la salle immense. Ils ont posé des nappes blanches sur les tables. Après le discours sur la naissance du petit Jésus, l'amour de son prochain et la tolérance, les dames nous offrent un verre de limonade. Puis c'est la ruée sur les pochettes surprises, remplies de friandises : des bonbons, des gâteaux secs, une petite tablette de chocolat pour Henriette et des sucettes pour moi. On chante au son de l'accordéon, du violon et du piano. J'adore la dernière chanson : *Oh nuit, qu'il est profond ton silence, quand les étoiles d'or scintillent dans les cieux*... C'est merveilleux et si doux que ça m'endort.

Nous partons plus souriantes que lorsque nous sommes arrivées. Il n'y a que nous dans la rue quand la lieutenante nous raccompagne. Je suis contente. Je l'embrasse très fort. Elle nous étreint et se sauve en priant : «Que Dieu soit avec vous!»

L'ÉTOILE JAUNE

Maman a reçu un paquet d'étoiles en tissu jaune qu'elle coud sur nos vêtements, à l'endroit même où l'on m'avait épinglé la croix de mérite puis la croix d'honneur. Celle-ci est laide. Quelle vilaine couleur!

Henriette plaide pour que l'on m'en mette à moi aussi, car je ne suis pas obligée de la porter à cinq ans et demi. Mais elle insiste, autrement, elle n'en veut pas non plus. « Si tu n'en as pas, tu iras en prison! Toute seule! On t'enfermera encore dans les cabinets, on te mettra au piquet! » invente-t-elle pour me convaincre. Je me plains à ma mère : « Dis-lui que c'est pas vrai! » Maman pose l'habit qu'elle tenait, me remarque enfin, et me prenant les mains, me dit : « Hélas, mon enfant, tu sais bien qu'elle n'a pas tout à fait tort. Pour le moment, nous devons porter l'étoile et attendre que tout ça passe… Ça ne peut pas durer longtemps. Tiens, ce vêtement est à toi, range-le. » Je l'enfile pour me regarder avec. « C'est la loi! » crie ma sœur pour m'embêter. « Si tu n'as pas compris, c'est que tu choisis d'être un bébé! » Elle n'arrête pas de le répéter.

« Qu'est-ce que c'est, la loi?

– C'est ce qu'on est obligé de faire.

– Pas moi, je peux rien faire.

– C'est pas toi qui commandes! Et tu es presque aussi grande que moi!

– Sois pas si dure avec ta petite sœur, ma fille, essaye plutôt d'être gentille. Pour l'instant, lis-nous les dernières nouvelles.»

Profitant de ce qu'elles sont occupées, je m'en vais sur la pointe des pieds. Je descends à la boutique me voir dans le miroir à trois faces. L'étoile est encore plus laide dans la glace. Tout ça à cause des Boches! Parce qu'il est interdit d'allumer en bas, il y fait plus froid. J'écoute les bruits de la rue. Je préfère remonter. Je vais dans ma chambre, téléphoner à papa, j'espère qu'il va m'entendre cette fois : «Allô? Papa? C'est moi! Henriette pleurniche. Elle dit qu'à l'école, on la montrera du doigt. Moi, je m'en fiche, puisqu'ils ne veulent pas de moi.»

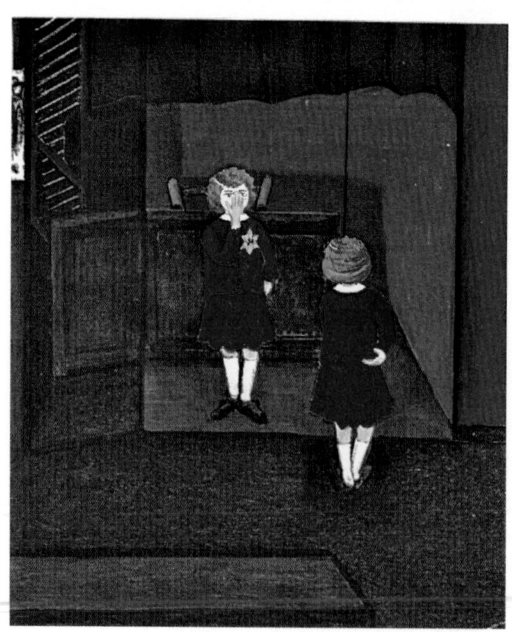

Zut, elle me rejoint… J'enlève mon gilet qui soudain me déplaît. « Qu'est-ce que tu fais? » Elle m'agrippe. « Je veux être catholique! » lui dis-je. Depuis que nous portons l'étoile, nous ne passons pas inaperçues. Dans la rue, on nous dévisage comme les singes du zoo. Ceux que j'aime me tournent maintenant le dos, sauf Hélène. Elle a cousu ses étoiles elle-même. Elle nous a montré sa belle robe neuve qu'on lui a achetée pour le concert de piano qu'elle donnera bientôt. Nous y sommes invitées toutes les trois, c'est mon premier récital. «Si les Allemands viennent nous chercher, je partirai avec ma robe!» se vante-t-elle, insouciante. «Taistoi, pauvre idiote, tu ne sais pas ce que tu dis!» réplique sa mère, subitement en colère. J'ai envie de tirer la langue à tout le monde. Mais je déteste qu'on me gronde, alors j'attends de rentrer chez nous pour la tirer bien fort.

ILS PRENNENT HÉLÈNE ET SA MAMAN!

Une semaine plus tard, au lever du jour, trois coups à notre porte. Ce n'est pas un cauchemar. C'est quelqu'un qui nous connaît. Peut-être que c'est papa! Je ne contrôle plus ma joie, j'y vais! Le temps que je sorte du lit et traverse la cuisine, je suis sur le palier : « Restez-là! » crie maman, qui descend en vitesse. À voix basse, elle demande :

«Qui est-ce?

– Madame Weinstein, Madame Elias! Ouvrez, nous sommes pressées! » C'est la voisine du deuxième avec sa fille. J'ai froid et je me recroqueville dans ma chemise de nuit. « Que voulez-vous à cette heure-ci? » s'enquiert maman ahurie. Elles parlent leur langue étrangère. Je devine… à cause de la valise. Hélène a tenu sa promesse : elle l'a mise, sa robe neuve. «Au revoir, Henriette! Au revoir Marguerite! » crie-t-elle, son cartable à la main. «Partez d'ici, je vous en supplie! » implore maman. «*Auf wiedersehen* » répond l'autre, ajoutant confidentiellement : « Ils ne savent pas qui vous êtes, je n'ai rien dit. » Ma mère leur ferme la porte au nez, bégayant : «Adieu! Bonne chance à vous aussi! » puis elle remonte et s'effondre sur le lit. Au revoir, Hélène. Je n'entendrai plus son piano ni son concert en solo. Je sens une grande peine monter en moi.

MÉTRO VOLTAIRE

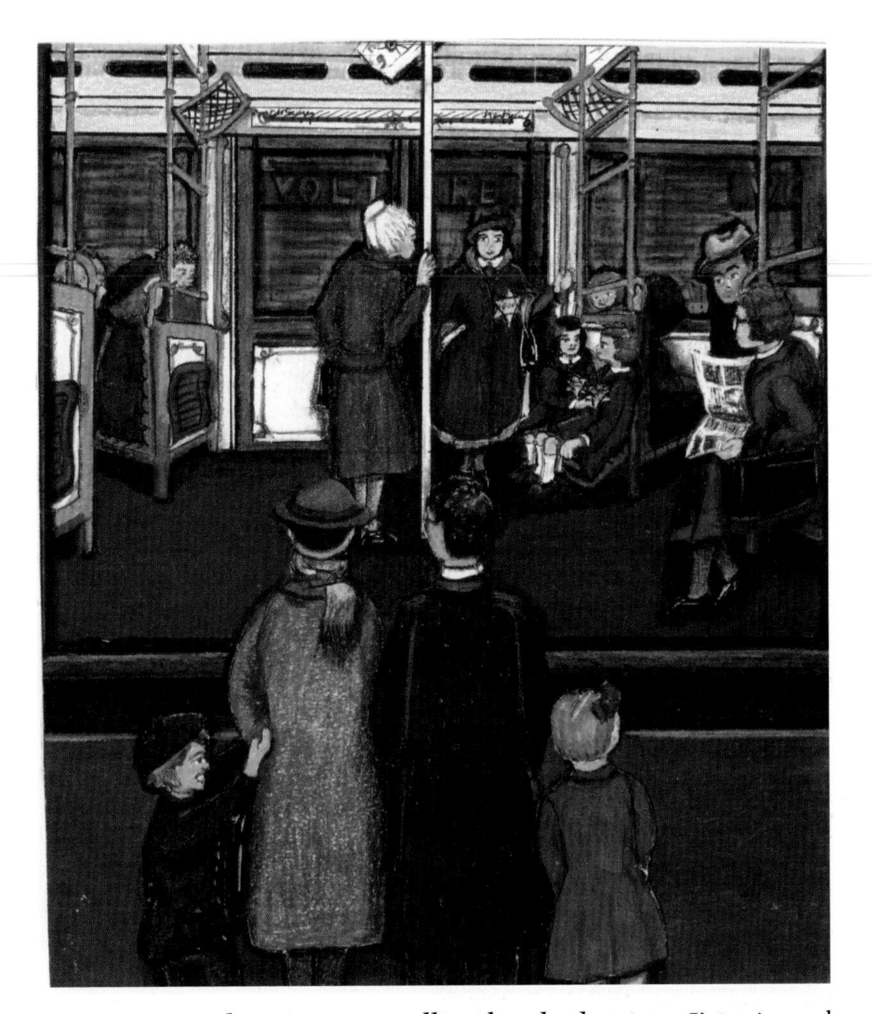

Nous prenons le métro pour aller chez le dentiste. J'ai très mal à une grosse dent. Il faut attendre la rame très longtemps et la douleur me fait pleurer sans arrêt. Maman me supplie de me taire mais j'ai si mal! Nous descendons à République, nous marchons très vite.

Le dentiste chez qui nous allons porte aussi l'étoile jaune. Il me fait passer en priorité : «Viens petite! Je vais t'arranger ça!» me dit-il gentiment. Il m'assoit sur la chaise et me fait ouvrir grand la bouche. Puis il prend une petite pince. Je vois plus rien de ce qu'il fait, mais je le sens bien : « Oh là là! Aïe, aïe, aïe! » Je hurle, me cramponnant à ma mère qui m'empêche de bouger.

«Aïe, aïe, aïe! Arrêtez! Arrêtez!

– Ça y est presque, encore un peu, ça y est! » conclut-il, ses mains tachées de sang. Oh! qu'il a été méchant!

Il lave la dent et me la donne, en disant : «Tu la mettras sous ton oreiller et la petite souris t'apportera un cadeau à la place, n'est-ce pas, Madame Elias?» Je dois me rincer la bouche et il m'enfile un gros morceau de coton dans le trou, puis il regarde sa montre : « Dépêchez vous, c'est bientôt le couvre-feu! » Maman le paye et nous partons à toutes jambes. Nous nous installons dans le métro. Même Henriette a pitié de moi alors elle me caresse la main. Tout le monde regarde nos étoiles, ce qui me fait encore plus mal.

LA QUEUE

Maman fait ses courses en vitesse, elle sort à trois heures exactement pour être au magasin avant le couvre-feu. Dès que je la vois prendre sa bourse, je m'empresse auprès d'elle car je préfère y aller seule avec elle.

Pendant qu'elle fait la queue, je m'invente des jeux : je compte les chapeaux, les gants et tout ce qui est en fourrure. Je me promène sur le trottoir : je sautille entre les traits, sans poser un pied dessus. Si je le fais, j'ai perdu. Je continue jusqu'au croisement de la rue, c'est là que je m'arrête pour faire demi-tour. Je fais ça presque tous les jours. Nous devons être chez nous à quatre heures, pas une minute plus tard! Pas question d'aller traîner dans le quartier.

DANS LE CANIVEAU

Je vais avec maman acheter quelques provisions. Elle sort de chez l'épicier, au coin de la Cité, passe rapidement devant moi en me criant : « Je cours chez l'autre boulanger! Fais attention! » Je fais toujours attention. Elle est déjà si loin. J'avance à petits pas, les comptant doucement : « Un… deux… trois… » À dix, elle a disparu de ma vue, encore dix, elle sera revenue. Je recommence devant la boutique du fleuriste : « Un… deux…trois… quatre… » Ses filles me lancent des insultes puis m'attrapent brusquement en hurlant : « *Fous* le camp d'ici! Va te faire *foutre* ailleurs, sale *youpine*! » Elles me poussent dans le caniveau rempli d'eau croupie et retournent chez elles. Je m'étale de tout mon long. J'en avale plein la bouche, c'est dégoûtant. J'en ai dans le nez, au fond des oreilles, je me noie dedans…

« Mar-gue-rite! » : c'est ma mère qui m'appelle. Quand elle me trouve, elle me prend dans ses bras en répétant sans cesse : « Ma pauvre petite! Ma pauvre petite! » Je suis trempée jusqu'aux os. Elle me serre contre sa poitrine. L'eau dégouline dans mes chaussures. Je pleure contre elle, j'implore en grelottant : «Pourquoi, maman, pourquoi?»

Cachée • Marguerite Elias Quddus

ILS EMMÈNENT MAMAN!

On cogne à notre porte! Qui frappe à cette heure-ci? Des coups et des coups! Ma sœur, toute zébrée par la lueur du bec de gaz à travers les volets fermés, braille affolée : « C'est nous qu'on vient chercher! » D'un bond, nous sommes debout. Choukette aboie! Cette fois, nous l'enfermons dans notre chambre. Nous passons par la cuisine, sans descendre. Ça galope dans ma poitrine! Nous nous arrêtons sur le palier, maman est pétrifiée. Nous nous accrochons à elle. Les appels se poursuivent : « Ouvrez! Police! Police! Ouvrez! » Je me cache entre les plis de sa chemise de nuit. Ils cognent si fort que chaque coup fait vibrer la porte. Ma mère crie : « J'arrive! » et brusquement nous quitte et descend. Je claque des dents, reculant doucement près d'Henriette. Qu'est-ce que j'ai peur! Maman remonte, entourée d'hommes. Je les compte à voix basse : ils sont trois, comme pour papa.

« Prenez le minimum, Madame Elias! Et suivez-nous au commissariat » ordonne le premier agent en lisant son papier. J'ai les pieds gelés. L'autre se tourne vers nous : « Qu'attendez-vous? Vous voulez qu'on vous emporte en pyjama? On a dit : les enfants aussi! » J'ai tant envie de faire pipi... Je croise les jambes quand le troisième me demande : « Qu'est-ce qu'il te faut pour comprendre? Tu parles pas français? » Henriette se sauve dans la chambre, maman supplie :

« S'il vous plaît! Elles sont de nationalité française, regardez, en voici la preuve!

– Bon, ça va, les petites, on les prend pas! Mais vous, grouillez-vous! » acquiesce l'agent, pendant qu'elle termine de se vêtir devant eux. C'est honteux. Papa avait raison : il fallait leur montrer nos preuves de nationalité. À cause de ça, on va rester à la maison. J'aurais préféré accompagner maman, mais je n'ose pas parler. Je fais la statue. Maman ajoute :

« Il faut que j'aille au café; je vais téléphoner pour les faire garder. Elles ont à peine six et huit ans. »

C'est pas l'moment, vous l'ferez là-bas! Et pas d'adieux prolongés, ça va rien arranger! »

Elle nous entoure de ses bras, nous embrasse, insistant tout bas : « Soyez sages en m'attendant. N'ouvrez à personne que vous n'aimez pas. Fermez les verrous, derrière nous! Et surtout, ne vous disputez pas! Je vais contacter madame Graziani. Retournez dans vos lits, mes bonnes petites filles. Soyez gentilles. » Elle regarde Henriette, déjà habillée, et se met à pleurer.

« On peut enfin y aller! » commande l'agent, impatient, qui ouvre la marche. Les autres suivent. Je n'entends plus ce qu'ils disent...

Elle est partie avec eux, nous laissant toutes deux désemparées. De la fenêtre de la cour, nous les apercevons au tournant. Nous courons côté rue. Ils disparaissent. Nous obéissons : nous allons nous recoucher, sans même chercher à manger. Mais ces agents m'ont coupé le sommeil. Puis la sonnerie du réveil résonne. Elle me donne des frissons. « Il est sept heures! » annonce Henriette, se levant pour se rapprocher des volets. L'obscurité m'effraie. Nous regardons entre les lames, sans être vues. Pas même un chat se

promène. Le silence me tracasse. Que doit-on faire? J'ai peur, j'ai froid, j'ai faim! Ma sœur ne voit que son livre. « J'ai faim! dis-je, sortant de mon lit.

– Prends du pain et de la confiture! » suggère mademoiselle…

Je vais manger avec la chienne.

«Où vas-tu? Attends-moi! C'est moi qui décide!

– Alors, dépêche-toi! J'ai le ventre vide!

– Où sont les petits beurres, les vois-tu?»

Je lui montre le paquet. Elle l'ouvre, me questionnant : «Combien en veux-tu?

– Un, avec du lait.»

Elle me sert et avale, affamée, plein de biscuits sans les compter, alors que je déguste le mien. Je proteste : « Hé, vas-y doucement, y en aura plus! »

Elle me rétorque : «T'as qu'à en faire autant!

– Je le dirai à maman.

– Et bien, vas-y! Dis-le-lui!»

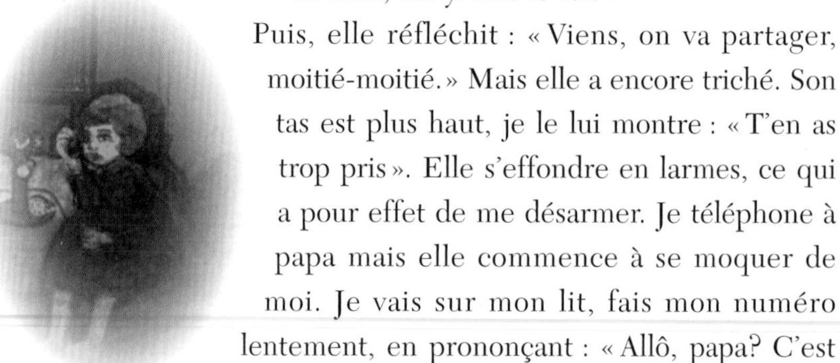

Puis, elle réfléchit : « Viens, on va partager, moitié-moitié.» Mais elle a encore triché. Son tas est plus haut, je le lui montre : « T'en as trop pris». Elle s'effondre en larmes, ce qui a pour effet de me désarmer. Je téléphone à papa mais elle commence à se moquer de moi. Je vais sur mon lit, fais mon numéro lentement, en prononçant : « Allô, papa? C'est moi! Ils ont emmené maman. C'est la grande qui commande! » Elle m'interrompt :

« Tu parles comme s'il t'entendait! Tout le monde sait que c'est un jouet, sauf toi!

– C'est pas vrai.

– Qu'est-ce qui n'est pas vrai? Que c'est un jouet, ou que tu sais pas faire la différence? »

Personne ne vient à ma défense. Nous nous mettons à pleurer toutes les deux. Henriette marche de long en large. Je décide de rappeler papa. « Arrête ta sonnette! Tu vas alerter la concierge!

– Je la fais plus sonner, tu vois!

– Tu crois vraiment qu'il t'entend? »

Je ne réponds pas. Elle dit que je ne suis qu'une grosse bécasse. Je m'enquiers : « Grosse comment? Je voudrais bien le savoir…

– Grosse comme ça! » Elle écarte les bras et me prend dedans, ajoutant : « J'espère que maman va pas rester là-bas longtemps. »

Nous savons que Madame Weinstein et Hélène ne sont pas revenues.

Nous nous asseyons dos à dos. J'essaye de m'amuser avec mes poupées. Henriette lit tout haut. Puis nous nous serrons l'une contre l'autre. Elle résume la situation : « Tata Sonia est en vacances. Georgette est peut-être au café, mais on peut pas y aller, ni l'appeler. André devrait venir porter du travail. Le commissaire-gérant nous visite le lundi. Quelqu'un passera prendre le colis pour papa. Tonton Léon est à l'armée depuis le début de la guerre. Tata Rose est en Zone libre. » Henriette finit par se replonger dans son livre. Je lui demande :

« Et maman, où est-elle? Chez les Allemands?

– Chut! Écoute! On frappe à la porte! »

Nous nous précipitons à la fenêtre; une femme forte lève la tête. C'est une cliente! Elle a l'air fâchée. Nous n'ouvrons pas. Elle finit par s'en aller. Pour faire plaisir à maman, je m'habille avec soin.

Qui va nous faire le repas de midi? Il est déjà quatorze heures et toujours pas de nouvelles de madame Graziani. « Si la police vient nous chercher, que faisons-nous?» je demande, perplexe.

«Nous allons nous cacher jusqu'à ce que maman revienne et si nous partons ce n'est qu'avec des gens que nous aimons!

– Où se cachera-t-on?

– Derrière les doubles rideaux mais il faudra retenir notre respiration et faire attention.

– Et s'ils les ouvraient pour y voir clair?

– Non. Ils allumeraient la lumière.

– Je préfère sous mon lit.

– C'est le plus mauvais endroit! Chaque fois que tu y vas, je te trouve!

– Alors, sous l'évier, tu crois que ça ira?

– Non, ça sent pas bon.

– Alors, peut-être derrière le divan, il y a assez de place!

– Ça, c'est une cachette! On essaye!» dit ma sœur. Nous nous y glissons. Au bout d'un certain temps, c'est fatigant, ça fait mal aux jambes. Nous sortons toutes sales. Nous faisons un brin de toilette. Choukette se languit de ses maîtres. Henriette lui donne le reste du lait.

«Vas-y mollo, j'ai soif, moi aussi!

– Eh bien, finis. Après, nous boirons de l'eau.»

Nous retournons à la fenêtre. La concierge distribue le courrier; il y a peut-être une lettre pour nous. Mais elle ne s'approche pas de notre porte. «Silence! J'entends claquer la porte cochère, c'est peut-être maman! Non, c'est les Maillard.» Nous regardons dans la rue : «Des Allemands! Des Allemands à perte de vue. Viens voir!» crie Henriette, angoissée.

«T'es complètement folle! On t'entendrait jusqu'au bout de la rue!

– Plein de Juifs avec l'étoile, des femmes et des enfants, il y a même une fille de ma classe, tu la vois?»

Nous nous recouchons tout habillées, tremblantes de peur. « Reste avec moi », je m'entends supplier ma sœur. « Et si maman était allée rejoindre papa? Il est déjà quatre heures », dit-elle en pleurant.

Il y a du bruit dans la cour. Un ivrogne parle à la concierge. Les cabinets doivent être bouchés. Il se plaint : « On ne peut pas *chier* ici? »

Henriette replonge dans sa lecture, *La Belle au Bois Dormant*. C'est plus intéressant que le journal, mais l'attente reste pénible.

Quand nous nous réveillons, maman n'est toujours pas de retour. Sans vrai téléphone et sans radio, c'est difficile, mais sans parents, c'est pire. Nous pleurons. La sonnerie de l'usine de M. Gellé! C'est la sortie des ouvriers. Il est sept heures. Nous mangeons du camembert, des biscottes et le reste de la compote de fruits.

Nous sommes toutes barbouillées à force de pleurer. Dehors, il fait noir. Nous n'allumons pas la lumière car *ils* pourraient nous voir. Heureusement qu'il y a le réverbère devant chez nous. Nous avons froid. Nous enfilons nos manteaux de fourrure. Il n'y a plus de provisions. Choukette aboie. « Tais-toi! Tais-toi!! » Un bruit dans la serrure! Nous courons à la fenêtre. Si ça pouvait être maman! Nous descendons à toute allure… C'est elle!! « Maman! Maman! » Nous nous exclamons en même temps. Elle est très rouge, sa figure… Elle s'assoit sur la dernière marche, en bas de l'escalier et éclate en sanglots. Elle jette son manteau à l'atelier et pleure contre le mur. Elle pleure et murmure d'étranges chansons. Elle se parle toute seule… Nous avons beau la supplier d'arrêter, elle continue comme si nous n'étions pas là. Mais, qu'est-ce qu'elle a? Assises auprès d'elle, nous pleurons de concert. Les poils de nos manteaux sont mouillés de larmes. Je voudrais qu'elle nous parle. Elle se tient les mains et reste muette. Soudain, elle s'écrie : « Ils m'ont battue, ces *salauds*! Ils m'ont battue, Moïshinké! Ils m'ont battue pour un petit mot que je glissais dans la poche d'un enfant de onze ans… Et ceux qui m'ont battue, Moïshinké, c'était des Français! Oui, Moïshinké… Ils m'ont battue, je ne l'oublierai jamais!»

LES ACTES DE BAPTÊME

Maman est dans la boutique avec madame Binet pour lui offrir un collet de fourrure. Assise sur l'escalier, j'écoute attentivement toute la conversation :

« Il me faut prouver que les petites sont catholiques, qu'elles ont été baptisées, vous comprenez?

– C'est chose faite, vous aurez les papiers! »

Madame Binet repart, son cadeau sous le bras. Elle revient le lendemain portant une enveloppe. Ma mère peut à peine la remercier qu'elle est déjà partie. Le jour suivant, lorsqu'elle revient, maman lui annonce : « Madame Binet, je le regrette mais les papiers semblent ne pas être bons. » Et elle éclate en sanglots. L'autre ne comprend pas, dit qu'elle va essayer d'arranger ça… Des larmes dans les yeux, maman l'accompagne à la porte. Madame Binet n'a pas l'air d'être contente. Elle rassure notre mère : « Je vais faire de mon mieux. »

Tôt le matin, au coin de l'atelier, les deux femmes se rencontrent :

« Cette fois, ça va marcher, madame Elias! Je les ai eus d'un curé de la paroisse. »

– Combien je vous dois? C'est entre nous, naturellement » ajoute maman, lui tendant un rouleau de billets. Puis elle demande : « C'est suffisant? » Madame Binet les glisse dans son porte-monnaie, sans les compter. Puis maman prend un sac en

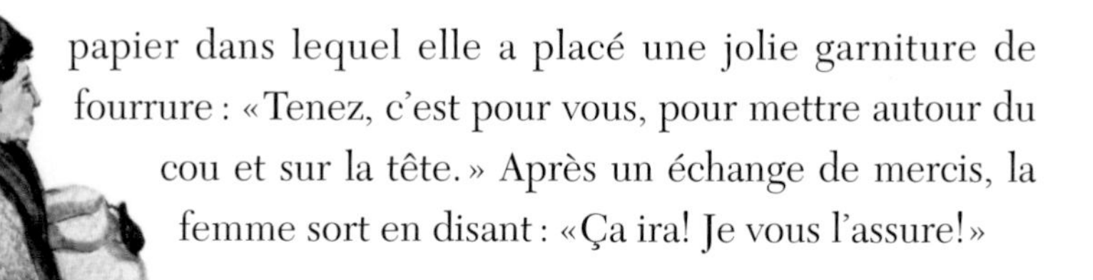

papier dans lequel elle a placé une jolie garniture de fourrure : « Tenez, c'est pour vous, pour mettre autour du cou et sur la tête. » Après un échange de mercis, la femme sort en disant : « Ça ira! Je vous l'assure! »

NOUS JETONS LES ÉTOILES!

Nous avons une longue conversation avec maman. Elle nous explique sa libération, grâce à Mme Graziani, et nous fait comprendre qu'il faut que l'on se quitte. Le gouvernement fait arrêter tous les israélites de Paris, mêmes les Français. On ne peut plus rester ici. Elle nous rappelle l'exode à Fontainebleau, la période que nous avons passée sans elle, à la campagne, chez la dame qui nous a ramenées à vélo à cause de la dénonciation de la concierge, et l'arrestation d'Hélène. Elle nous raconte l'histoire de la Vierge et du petit Jésus, car nous allons faire semblant d'être catholiques. Nous devrons faire semblant jusqu'à la fin de la guerre et jusqu'au retour de notre père. Nous devons nous cacher séparément d'elle.

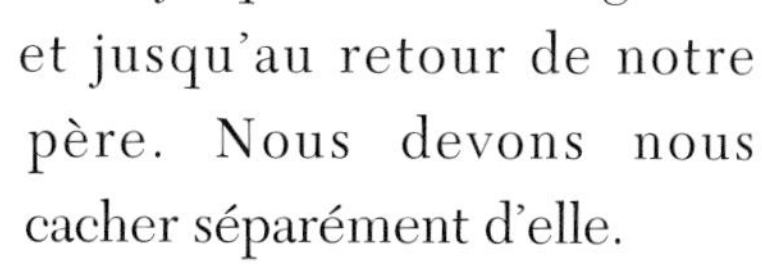

J'écoute attentivement, sans comprendre… Tout en parlant, elle coupe les fils des étoiles, qui se décollent de nos vêtements. Je les prends, les lance en l'air en m'esclaffant : « Ça vole, maman! » Je suis contente. « Regardez mes étoiles filantes! » Nous rions un instant, puis elle nous enlace et nous embrasse tendrement. Elle remarque l'heure : « Au lit, mes enfants! Il est minuit. J'ai tant de choses à préparer. » Nous y allons tristement.

Comment allons-nous nous séparer? Elle nous souhaite bonne nuit et éteint la lumière. Henriette supplie : «Laisse la porte ouverte, s'il te plaît! » Que voulait dire maman? Ça m'empêche de dormir. Où devrons-nous aller? Qui viendra nous chercher? Nous nous levons sur la pointe des pieds et nous l'observons sans bouger.

Elle remplit son carton à chapeau de belle marchandise. Elle range les habits dans notre valise et en échange plusieurs. Elle place des photos et toutes sortes de papiers à l'intérieur du grand cadre qu'elle a décroché du mur. Elle jette plein de choses aux ordures. Elle enroule sa grande cuiller en or dans un tissu noir et la dépose au fond du sac à bandoulière. Personne ne doit savoir que j'étais avec elle chez le bijoutier pour faire fondre ses bagues, nos bracelets, nos chaînes et son collier. Puis elle s'assoit au coin de la table, où elle mangeait avec papa, met sa tête sur ses bras, en gémissant :« *Oye vey iz mir…* ». Sans rien dire, nous nous recouchons. Le marchand de sable passe et je m'endors.

LE GRAND DÉPART

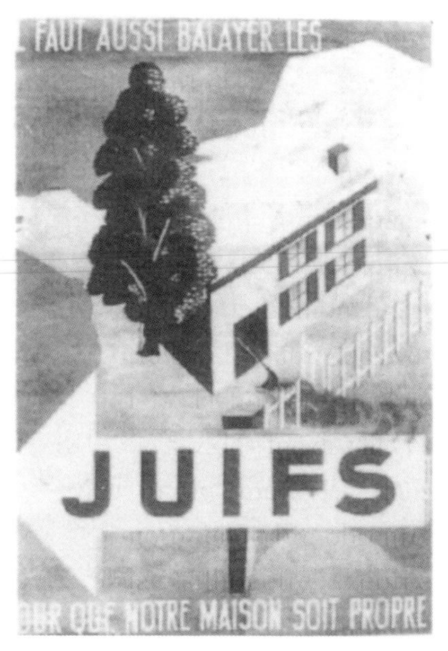

Nous nous levons à l'aube. Il n'y a pas d'eau chaude pour nous laver, tant pis, nous sommes pressées. Nous enfilons les beaux habits, manteaux et chapeaux de fourrure blanche. Ma sœur emmène son violon. Je prends mon baigneur, la moins lourde de mes poupées; je ne peux emmener ni la poussette, ni ma voiture à pédales, ni le reste de mes jouets. « Êtes-vous prêtes mes grandes filles? » demande maman de la cuisine. Elle n'arrête pas de crier et de se lamenter. Elle ouvre le buffet, sort quelques verres de cristal et les jette contre le mur de la voisine et vlan! Elle les lance, articulant je ne sais quoi, je ne sais pas pourquoi. L'autre répond de sa béquille, une fois, deux fois, trois fois! « Arrête, maman! Arrête! » supplie ma sœur. Tout me chagrine en ce moment.

Une courte femme vient d'arriver. « C'est une naine! » souffle ma sœur à mon oreille, souriant malicieusement. Elle doit nous emmener chez sa fille, à la teinturerie, une amie de Mme Binet. Maman nous rappelle, en nous serrant contre elle : « Écoutez-moi mes enfants, c'est important! Si on vous demande où sont vos parents, n'oubliez pas de dire que papa est militaire et qu'il a dû partir au front. Moi, vous ne savez pas. Parlez le moins possible de tout ce qui s'est passé ces derniers temps chez nous. Les téléphones, la radio, les arrestations, les dénonciations : pas un mot! Vous êtes catholiques, n'est-ce pas Marguerite? Henriette est responsable de vous deux. Elle pourra mieux expliquer. » Puis elle s'adresse à la femme :

« Faites attention, il faut que vous passiez inaperçues. Êtes-vous capable de porter leur valise?

– Je suis petite, mais alerte, regardez! » Elle monte sur la table et saute par terre! Puis elle déclare : « J'ai laissé la porte ouverte. Allez ouste, tout se passera bien! On s'en va! » Elle commande comme notre bonne Georgette. Où est-elle? Je me le demande. J'aimerais mieux partir avec elle parce qu'elle est deux fois plus grande!

Je caresse Choukette puis je remplis mon cartable; je suis prête mais écrasée de tristesse. Maman nous enlace et nous embrasse avant de sortir dehors où il fait encore noir. « Au revoir, mes enfants! Quand vous partez, ne vous retournez pas. À bientôt. » murmure notre mère, que j'entends se moucher à plusieurs reprises. « Au revoir, maman », dis-je le cœur gros, noyée dans mon chagrin. La naine m'entraîne derrière elle.

Cachée • Marguerite Elias Quddus

Cachée

Deuxième Partie

LIVRÉE À LA MERCI DES AUTRES.
SANS CONTACT AVEC MES PARENTS
PENDANT PRÈS DE TROIS ANS.

LA TEINTURIÈRE

NOUS RESTONS UNE SEMAINE CHEZ LA FILLE DE LA NAINE. Elle est gentille, bavarde avec ma sœur en repassant les vêtements. J'écoute la radio tout en dessinant sur son bureau. Nous dormons dans la mansarde. J'ai envie d'être avec maman et je m'ennuie presque tout le temps. Nous ne pouvons pas rester ici car c'est trop dangereux. Quelqu'un va venir nous chercher, ça ne devrait pas tarder.

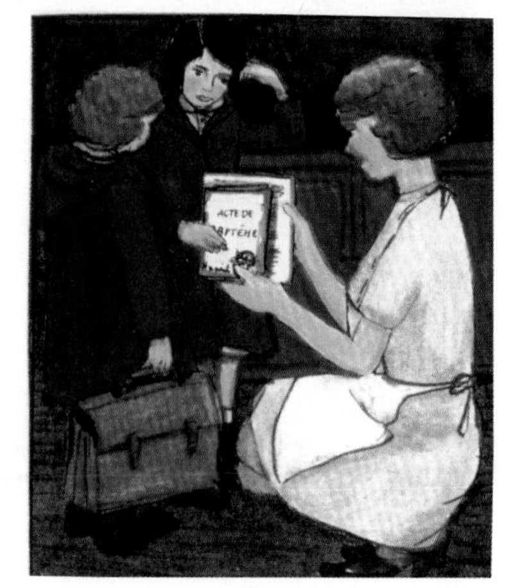

C'est abominable ce qu'il pleut. Heureusement, nous avons nos imperméables. La teinturière nous rend les actes de baptême et nous attendons le retour de Madame Graziani qui se fait passer pour notre marraine. Oui, c'est ce que j'ai compris. Quelle bonne surprise, lorsqu'elle arrive! Nous partons toutes les trois.

YÉYETTE

Il fait beau, mais frais. Madame Graziani nous change de manteau. Elle a repris nos actes de baptême avec nos cartes de textile et d'alimentation. Il ne faut surtout pas les perdre! Je souffre d'une peur insurmontable et je peine à soulever mon cartable. J'avance lentement, espérant revoir mon père et ma mère à chaque coin de rue. Nous nous arrêtons devant le métro Denfert-Rochereau où la fille de Mme Graziani nous attend. « Au revoir, Madame Graziani! » Sa fille, à laquelle elle nous confie, s'appelle Yéyette. Avec elle, nous marchons encore longtemps, en silence.

Arriverons-nous jamais?

« Ça y est! Nous y sommes! » déclare Yéyette, soulagée. C'est un couvent! « Cette maison si grande ressemble à une prison! » s'écrie Henriette. Je n'arrête pas de trembler. Une femme en deuil nous ouvre la grande porte et nous escorte jusqu'au parloir. Elle nous ordonne de prendre place sur le banc. Tout semble froid, les gens aussi bien que le lieu. J'écoute notre histoire pour la seconde fois. Va-t-on la croire? Yéyette s'empresse de mentir. Je l'entends expliquer : « Je ne connais pas leurs origines, elles sont orphelines. » Je sanglote sur l'épaule de ma sœur qui me chuchote doucement : « Arrête, Marguerite! » Yéyette nous embrasse et nous quitte tristement. Oh! maman, j'ai peur…

On nous offre un petit livre et la Mère supérieure nous invite à la suivre au réfectoire pour le dîner. Tout le monde est vêtu de noir. Nous dormirons dans un dortoir, séparément, chacune avec sa classe. On me désigne ma place, le lit contre le mur. C'est rêche et dur. Pendant que les autres prient à genoux, je reste debout, la tête baissée. Qu'est-ce que je dois faire? « Tu ne sais pas comment prier? » interroge ma voisine, intriguée. « Je ne suis pas une orpheline », je réponds à mi-voix. Mais la dame vient vers moi : « Peut-on savoir pourquoi tu ne sais pas tes prières? » demande-t-elle, tout en m'aidant à grimper sur mon lit pour me coucher. Elle a les mains moites. Je fais « non » de la tête. Je ne veux pas parler. Elle raconte je ne sais quoi à son Dieu. Je ne comprends pas les religieuses. Sitôt qu'elle part, je sors mon manchon, je m'enfouis sous les draps et, le visage dans la fourrure, je pleure de tout mon être.

Madame Graziani vient nous voir, nous la rejoignons au parloir. Elle nous donne quelques gâteries : des biscuits et des bonbons. Quand la cloche sonne, elle nous embrasse toutes les deux. Alors, je dis enfin ce que je pense : « Si tu m'enlèves pas d'ici, je crie que je suis juive! » C'était plus fort que moi. Terrifiée, elle a mis sa main sur ma bouche. Avant de partir, elle se fâche : « Pourquoi crois-tu que l'on te cache? Souviens-toi, tu es CATHOLIQUE! » Je suis vexée. Henriette s'y met aussi : « Elle ne viendra plus nous visiter, t'es satisfaite, bébé? » Cette nuit, je fais pipi au lit.

NOUS QUITTONS LE COUVENT

En fin d'après-midi, quelqu'un viendra nous faire sortir d'ici. Je suis très heureuse. Je ne pouvais pas rester dans ce couvent. Henriette arrive, étonnée. « Nous allons partir! » lui dis-je avec un sourire radieux. Nous voilà enfin sorties de cette maison. Adieu, Mère supérieure! Adieu, les sœurs! Adieu mon père, monsieur le curé!

Je suis contente de partir. Une femme que je ne connais pas me tient fermement la main pour traverser la rue. À la gare de Lyon, nous montons dans le train. Elle installe Henriette près de la fenêtre car elle a mal au cœur. Moi, au milieu, parce qu'on m'y surveille mieux. Et elle s'assoit près de nous pour s'occuper de nos papiers. À chaque arrêt, elle est aux aguets. Je me lève, je veux regarder ce qui se passe. Mais elle me renvoie à ma place. Je dois rester assise. Je suis responsable de mon baigneur accroché à mon cou et de mon cartable. Il y a continuellement des contrôles d'identité, mais j'ai trouvé une distraction : en passant dans le couloir, je viens d'apercevoir un petit garçon qui m'a fait un beau sourire. Je lui en fais autant. Il me fait «coucou» maintenant.

Finalement, je sens que je vais m'endormir, il fait si noir dehors. La dame lit, ma sœur aussi, ou bien elle fait semblant. Je m'allonge sur la banquette, comme si c'était sur ma mère, et me laisse bercer par les ronflements de la locomotive; je ressens une chaleur exquise, maman doit travailler, en bas à l'atelier… Bientôt, je serai dans ses bras…

Nous sommes arrivées! Nous allons descendre! « Tata Sonia! » hurle Henriette penchée à la fenêtre. Je suis déçue mais je lui saute quand même au cou. La voiture de tonton nous attend avec Riri et Monique qui s'amusent à l'intérieur.

Encore une surprise! À côté de notre valise, il y a celle de Riri, ainsi qu'une belle trottinette. Quelque chose me gêne, une inquiétude. Tata ne me répond pas comme d'habitude, elle ne plaisante pas, ne me regarde même pas, qu'est-ce qui se passe? Nous arrivons chez des fermiers. Au lieu de nous faire entrer, on nous laisse sur le pas de la porte. Je fais des bisous à mon petit cousin. Henriette joue à la maman avec Monique qui gigote : elle est drôle!

Quand les grandes personnes ressortent, tata prend Monique et nous embrasse vite tous les trois. Puis les adultes nous installent sans rien nous dire dans une charrette attelée à des chevaux, Henriette et moi accotées sur un bord, la dame et Riri en face. Avec une rapidité qui m'inquiète, ils mettent les valises, les trois cartables, le violon et la trottinette au milieu, et sans qu'on ait le temps de dire adieu, nous voilà partis au petit trot.

Où allons-nous? Je n'en sais rien… Ma sœur fait la moue. Ça ne présage rien de bien. Riri pleure sur les genoux de la femme qui le tient. J'essaye de lui prendre la main, de lui prêter mon baigneur, mais le pauvre est inconsolable. Tout au long du voyage, son profond chagrin s'ajoute au mien. Je refoule mes larmes pour lui montrer le bon exemple. Nous serons placés ensemble et je m'occuperai de lui jusqu'à ce que tata revienne, mais je m'ennuie quand même.

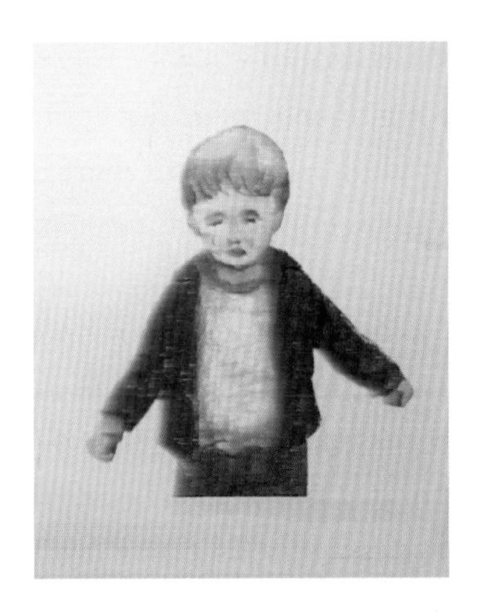

LA FERME AUX ENFANTS

Il y a des poules et des lapins partout dans le jardin. Quelques enfants, dispersés de-ci de-là, s'approchent pour regarder la trottinette. Nous entrons dans la maison. La jeune femme nous présente : « Voici Henriette, Marguerite et leur petit cousin Riri! Vous verrez, ils sont très bien élevés et gentils. Je vous les confie, maintenant je dois partir! » Et elle s'en va, sans autre explication.

Nous visitons la ferme et sous le grand lit, au coin de la chambre, nous rangeons nos affaires et celles de notre cousin. Henriette s'allonge la première et toutes les deux nous pleurons jusqu'à mouiller les draps. Riri vient nous rejoindre, j'ai besoin de le prendre dans mes bras, il ne s'en plaint pas. Henriette finit par s'endormir profondément. Je pense à maman et je suis fâchée contre elle.

Riri tombe malade, il a vomi sur la table. Il ne veut plus manger. Comment l'encourager? Ça me fait trop de peine. Au bout de quelques jours, nous l'accompagnons à l'autocar. Adieu, Riri! Pourquoi t'en vas-tu?

LES CABINETS

Les cabinets sont dehors. J'y vais tous les matins avec Henriette, car je suis trop petite pour monter dessus. Quand elle soulève le couvercle, ça sent très mauvais! Les mouches et les moustiques pullulent, nous piquent et dansent autour de nous dans une ronde folle. On doit me faire la courte échelle pour que je puisse m'asseoir au-dessus du trou noir et on doit me tenir pour que je ne tombe pas au fond. Je me bouche le nez pendant toute l'opération. Je ne peux m'empêcher de me mouiller les fesses. Mais pour m'essuyer, il n'y a que du papier journal, qui est désagréable et fait mal.

HENRIETTE S'EST BRÛLÉE!

Pendant que la fermière repasse le linge, ma sœur se plaint sans cesse. J'écoute sous la table, sans m'en mêler. «Aïe!» crie soudainement Henriette, le fer est tombé sur sa main! Madame Martin vide une bouteille d'encre dessus mais la main enfle de plus en plus! Alors, elle la lui rince et lui étale du beurre à la place. La malheureuse pâlit. «Ça brûle!» hurle-t-elle de douleur. Le fermier la prend et l'emmène dans sa carriole et je les vois disparaître au bout du chemin.

Quand ils reviennent dans l'après-midi, Henriette est à moitié endormie. Le soir, la femme nous dit de ranger nos affaires dans la valise, réveillant mon angoisse de ce qui nous attend. Le lendemain, nous sommes en route avec nos bagages. Durant tout le trajet, je me fais du souci. Pauvre Henriette. Nous sommes restées si peu de temps dans cette ferme qui était tellement mieux que le couvent... Elle serre les dents, tellement ça lui fait mal, mais elle ne peut pas retourner à l'hôpital. On nous dépose à la gare, la demoiselle qui doit nous prendre n'est pas encore arrivée. Elle se nomme Estelle Evrard. Où nous emmènera-t-elle? Elle arrive juste à temps pour prendre le train. Elle m'aide à monter dans le wagon en disant : « Nous allons à Grenoble! L'école commence au mois d'octobre, vous aurez la chance d'y entrer au bon moment! » J'espère que ma sœur va guérir vite. Quand je la vois souffrir, ça me pique à l'intérieur. Je cajole mon baigneur, elle, le coffre de son violon. J'arrive le cœur gros, des gazouillements dans le ventre...

NON, PAS DANS UN COUVENT!

On m'avait promis que nous n'y retournerions pas. Voilà qu'on nous met de nouveau dans un couvent. Je m'enfuirai, jamais je ne resterai. Si Estelle était gentille, elle ne me laisserait pas avec des orphelines. Je ne veux pas entrer dans ce couvent, je veux aller retrouver ma mère! Je n'ai plus assez de larmes pour pleurer et personne pour m'écouter. Je ne sais pas combien de nuits j'ai dormi à l'infirmerie. On me surveille tout le temps. Une sœur sommeille près de mon lit, tenant son crucifix. Il y a beaucoup de crucifix, il y en a partout! À chaque tournant, un autre vous attend. Le Christ, qui est accroché au mur d'en face, semble aussi triste que moi. Il paraît qu'il me voit et qu'il n'est pas content de moi. La sœur sourit continuellement même en dormant. Je fais semblant de dire mes prières. Mais je me tais quand elle vient m'écouter.

DANS MON COIN

Ce matin, en me levant, j'ai un mauvais pressentiment… Hier au soir dans le dortoir, les filles chuchotaient au sujet de mon baigneur que je ne prête pas. Ce matin, elles se sont moquées de moi lorsqu'on m'enseignait : « Je vous salue Marie pleine de grâce, le Seigneur est avec vous… » Pendant que nous priions, les yeux fermés, de mystérieux voleurs se sont emparés de mon compagnon. Maintenant, je le cherche partout. Je me ferai punir, je le sais. Mais comment pourrais-je dormir sans lui? Je ne parle qu'à lui, il partage mon lit, il écoute en silence et devine mes pensées. C'est lui, mon confesseur! C'est pour lui que je pleure…

Elles sont en train de rire. Je me suis réveillée, le bras sur mon baigneur, je l'ai retrouvé à moitié nu. Où sont ses vêtements que maman m'avait tricotés? On me les a volés! Une grande me l'arrache et le brandit comme un butin! Elle le tient trop haut, pour que je ne puisse pas l'attraper! J'ai beau sauter, la supplier, la tortionnaire veut que je fasse ma prière. Qu'est-ce que cela signifie? «Rends-le-moi, sinon j'appelle! C'est à moi! C'est le mien!» Je m'égosille tant que le bruit traverse la cloison. Avertie par le chahut, la surveillante arrive et crie, outrée:

«Arrêtez ce vacarme!

– C'est elle qui a commencé!» je bredouille en larmes. La sœur empoigne mon baigneur, sous le regard vainqueur de la fille et elle l'emporte dans son placard. Peu m'importe d'être en retard: je me sens recluse dans mon coin avec le crucifix pour unique témoin. Car, lorsque la cloche sonne, tout le monde est déjà parti! Que dira la maîtresse? Je m'habille aussi vite que possible. Où sont mes chaussures? Cette journée commence mal.

ON M'A MISE AU PIQUET!

Lorsque j'entre dans la classe, la maîtresse s'absente quelques instants. Une bande de lâches en profite pour me bombarder d'injures : « Rapporteuse! Moucharde! Pleurnicheuse! T'auras plus ta poupée! Elle sera confisquée! T'avais qu'à pas crier! » Je suis désemparée, je pleure toutes les larmes de mon corps. J'ai peur qu'on prenne à nouveau mon baigneur. Personne ne me défend. La maîtresse revient et m'appelle à son bureau. Elle me place au coin de la salle, le dos contre le mur, jusqu'à ce que je me calme. Je n'aime pas cette femme, elle est injuste! C'est moi que l'on accuse, alors que je n'ai rien fait. C'est la première fois que je suis au piquet et c'est parce que j'ai eu le tort de garder mon baigneur. C'est tout ce qui me reste! Eh bien, je vous déteste toutes!

J'AI LA COLIQUE

On m'a changée de dortoir. La sœur me guette depuis la chambre voisine. Les catholiques me donnent la colique, ma peur me fait peur, les classes me glacent, mon sommeil devient une veille. Je suis le Petit Poucet du pensionnat, abandonnée dans une forêt d'ombres qui font des rondes autour de moi. Je vois des méchants loups partout : sous mon lit, dans les draps, par ici, et par là! Enfouie au fond des couvertures, au moindre bruit, je me cache la figure. J'attends le cœur battant, dans la crainte de ce qui va advenir… Les filles entrent se coucher, je les entends parler entre elles. J'ai la colique chaque fois que je trempe les doigts dans l'eau bénite, avant de faire mon signe de croix. J'ai la colique du « pain quotidien », du « Notre Père qui êtes aux cieux… » J'ai la colique du Bon Dieu. Tout se mélange dans ma tête : les « ma mère», les «ma sœur», le père-curé et le Saint-Esprit! Le Seigneur tout puissant me prive de mes parents. Celui qui voit tout et qui sait tout, que fait-il pour m'aider, cloué sur sa croix? Je me surprends en train de parler à la jolie statue de Marie, portant son bébé dans les bras. Je préfère les odeurs de chez nous à celle de l'encens qui m'enfume les narines. Je hais le linge que l'on m'a prêté, c'est du poil à gratter! Tous mes habits ont été rangés dans un cagibi fermé à clef. Non, je n'ai pas perdu ma langue, je ne peux la montrer sans me faire gronder, alors je fais la muette.

JE ME LAVE TOUTE SEULE

C'est difficile de se frotter le dos mais j'y suis obligée. Oh, papa! Si tu me voyais… Si tu les entendais… Je ne suis pas « sale »! Mais quand nous nous lavons, je ne supporte pas que l'on me touche!

La sœur vocifère : « Frottez! Frottez plus fort, vous n'userez pas votre corps! N'oubliez pas les petits coins. » Je frotte tant et si bien que je m'égratigne avec leur gant qui pique. Elle nous regarde derrière les oreilles, autour du cou, entre les doigts, même les orteils et les cuisses! Et toute nue, muette, je suis debout, à grelotter.

En ce matin de dimanche, après la visite médicale, on m'a coupé les ongles à ras, ce qui me déplaît. « D'où vient ce sang, malheureuse? » s'enquiert la sœur, cherchant des petites bêtes dans mes cheveux, car je me gratte beaucoup. « Grand Dieu! T'es couverte de poux! » s'exclame-t-elle affolée. Elle prend son peigne fin et m'en racle la peau. « Aïe! Vous me faites mal! » Elle écrase les poux un par un sur le morceau de journal.

Entre ses jambes écartées, la tête baissée dans le noir de sa robe, je l'entends rabâcher ses histoires à ma nuque.

Elle ne sait pas qu'à la maison, tu nous lavais au savon parfumé, papa, devant l'évier de la cuisine, dans la petite bassine. Nous le faisions tous les dimanches avant midi et quand j'y pense, je souris…

LE MANÈGE

J'enlève les guenilles du couvent que je porte tous les jours. J'enfile mes vêtements du dimanche. Finies les pénitences! Je vais montrer ma belle robe, mon manteau de lapin blanc, mon chapeau et mes gants à la ville de Grenoble! La cloche sonne. Nous allons sortir! La nuit dernière, lors de la prière, je n'ai pas fait semblant. J'ai parlé à mon père et depuis cet instant, je suis pleine d'espoir! En plus, mon sommeil est revenu.

Me voici dans la rue. Deux par deux, en longue file, sans faire de bruit, nous suivons la Mère supérieure, loin devant nous. Et dans le silence de la rue déserte, j'entends d'abord la musique d'un orgue de barbarie. Elle tourne dans ma tête et valse dans mon cœur sur un air de Paris. Puis, au croisement d'un boulevard, j'aperçois le manège! Nos regards sont rivés sur lui. Ses chevaux de bois, ses lumières, et le toit arrondi qui le protège de la pluie… Il est tout pareil à celui de la place Voltaire où les enfants criaient de joie, leurs tickets à la main. Et moi, j'en faisais autant, à la barbe des Allemands. Le jour où je retournerai au Jardin du Luxembourg, je serai assez grande pour m'installer moi-même sur le cheval de mon choix, peut-être même avant Henriette. La main dans la main, mes parents nous feront « coucou! », puis nous chanterons au son de la fanfare, en plein milieu du Jardin! Et, après avoir vu Guignol et ri aux éclats, nous irons boire un bol de chocolat. Une main m'agrippe : « Où vas-tu, petite? » Je passais la porte du couvent sans voir que j'étais devant. J'enferme mon rêve précieusement dans ma mémoire.

CE N'ÉTAIT PAS DE MOI…

Y a du roulis, y a du roula… Que fais-je dans ce bateau-là? Je flotte, portée par les vagues, tel un poisson dans un filet. Non, ce n'est pas vrai! Je ne flotte pas : on me ballotte! On me tripote! J'ai même l'impression qu'on m'enfile une culotte… J'entends quelqu'un chuchoter : «Vite! Elle se réveille!» Puis je perçois une fuite de pas… Je grelotte… Ce n'est pas un cauchemar, je suis couchée dans mon dortoir et je suis bien réveillée. Mes yeux s'écarquillent, je ne vois que des ombres qui se dispersent dans l'obscurité. Une puanteur s'échappe de mes couvertures. J'ai les fesses prises dans quelque chose de froid et de gluant… La surveillante allume. Elle fait sa ronde habituelle. Je me redresse, j'éternue : «Atchoum!» Elle s'arrête auprès de moi : «Atchoum!» je recommence malgré moi. Elle renifle et, joignant le geste à la parole, elle me gifle en disant :

«C'est toi qui nous empestes?

– Je crois bien que oui…» je confesse à voix basse, choquée d'avoir été giflée. Des regards moqueurs m'entourent de partout. Sur mes draps immondes, il y a quelque chose de marron et l'odeur irréfutable du caca. La sœur enlève ma culotte, la preuve dégoulinante de ma disgrâce, le long de mes jambes tremblantes. C'est répugnant. Du bout des doigts, elle la ramasse et l'étire pour l'exposer à tout le monde! Les filles pouffent de rire! J'étouffe à force de pleurer. Le rouge me monte à la figure, ma honte n'a pas de borne. « Allez, mademoiselle, filez aux lavabos! Je vais vous y rejoindre », ordonne-t-elle. Je vais prendre la douche. Je me rends compte qu'on m'a joué un vilain tour : j'ai ma culotte dessous et elle est propre à l'intérieur! «Non, ma sœur, c'est pas de moi!» Mais où est passée la sœur? Je ne la vois plus.

L'ARRIVÉE CHEZ LES CHATENAY

Dans une excitation intense, j'enfile mes vêtements du dimanche, pour aller avec toutes mes affaires au bureau de la Mère supérieure. Quelle joie d'y retrouver ma sœur! Elle est assise sur le banc, les jambes devant son cartable, son étui à violon sur les genoux et le rouge aux joues. « Nous nous en allons à la campagne, au village de Vatilieu, dans une vallée au milieu des montagnes », me glisse-t-elle dans le creux de l'oreille. Voici que ça recommence. Je n'aime pas ces départs précipités, ces voyages avec des inconnues. Je croyais que c'était fini, mais pas du tout.

Quand on m'a rendu mon baigneur, tout semblait s'arranger. On m'a prévenue qu'une bonne nouvelle m'attendait, j'avais des ailes, je volais! J'étais contente! Maintenant, je suis pleine d'appréhension. Une dame vient nous chercher, comme d'habitude. Celle-ci s'appelle Colette Morel. Elle tient notre valise à la main. Avec qui serai-je demain?

« Vite, Mesdemoiselles, nous devons prendre le train! » annonce t-elle allégrement. Je l'ai pris si souvent que ça n'a plus d'effet sur moi. Paraît-il que c'est pour notre bien! Henriette lit un magazine rempli d'images. Je regarde défiler la campagne. Finalement, nous descendons. Nous marchons longtemps, très longtemps. Je dois souvent changer de bras pour porter mon sac d'école. Une cloche sonne. Dans le bâtiment d'en face, des filles et des garçons sortent en se bousculant. Ça doit être leur maîtresse qui est devant la porte.

Peut-être qu'elle nous attend. Nous restons un instant et nous repartons.

Juste après, nous y sommes : « Voici votre nouvelle maison! » dit Colette Morel. Ma tête ne cesse de me gratter : j'ai de ces démangeaisons! Je vois des vaches et des chevaux aussi. Ça sent le fumier de l'écurie. On nous présente les fermiers : ce sont les Chatenay. Notre guide est pressée, elle leur donne la valise et nous abandonne après nous avoir dit au revoir.

Robert, le monsieur est souriant, il plaisante, il a l'air gai. La grand-mère qui tricote dans son coin, c'est sa maman. Il y a une autre femme, Antoinette, la maîtresse de maison. Elle a l'air plus sévère que son mari, elle est plus grande aussi. Elle commande : «Venez par ici! Posez ça là! Comme ceci! Comme cela!»

Après un délicieux goûter, dont je reluque encore le reste du gâteau, elle nous fait visiter les lieux. Ils ont une épicerie; je vois des mottes de beurre, du fromage frais, des tonneaux de vin, plusieurs sortes de pains et du lait… Je ne mourrai pas de faim.

Nous montons au premier étage où nous déposons nos bagages. Mme Chatenay nous installe dans notre chambre. Ma sœur et moi y dormirons ensemble, dans le grand lit, au-dessus duquel est accroché le crucifix. « Attention de ne pas salir ma couverture» grogne-t-elle avec une grimace, remarquant quelques traces de terre…

Nous nous grattons continuellement. « Déshabillez-vous vite! Il vous faut une bonne douche!» Elle nous pousse vers la salle de bains, ramasse nos vêtements, et après examen, les emporte, comme au couvent. Pour s'assurer de notre propreté, elle nous frotte sur tout le corps. Puis elle nous essuie en entier. Lorsqu'elle prend la brosse pour nous coiffer… «Sainte Marie, mère de l'enfant Jésus! Vous êtes pleines de poux! Il va falloir vous débarrasser de ces sales bêtes! » s'exclame t-elle en nous lançant chacune une serviette. Nous descendons toutes les trois et elle nous mène dehors. Elle lave d'abord la tête d'Henriette. Elle prend deux chaises de la cuisine, une grosse bassine et un broc rempli d'eau chaude. Sans se soucier des voisines qui nous regardent, elle lui savonne le crâne. Ah! Si je pouvais leur tirer la langue! Elle la rince et lui verse le contenu d'une bouteille de pétrole. «Ça pique!» hurle ma pauvre sœur, qui semble en avoir dans les oreilles. Elle entoure ses cheveux mouillés dans la serviette. Puis elle la fait asseoir, et me désignant du doigt, elle dit : « Maintenant, c'est à toi!»

AH! TU AIMES LE LAIT!

« **Puisque tu aimes tant le lait, sais-tu au moins d'où il vient?** » me demande monsieur Chatenay. « Naturellement que je le sais, ça vient des vaches! » je lui réponds sur-le-champ. Tout étonné de mon savoir, il me propose gentiment de le suivre à l'écurie. Il tapote le derrière de la vache la plus proche et lui tripote les mamelles en répétant : « Ah! Tu aimes le lait! Eh bien, j'vais t'montrer comment on le tire! » Il s'installe sur le petit tabouret de traite. Je reste un peu à l'écart. Je ne voudrais pas recevoir un coup de pied ou de queue.

Il empoigne les tuyaux de chair rose dans ses mains et les tire d'un va-et-vient vertical. Il paraît que ça ne fait pas mal. Le liquide blanc s'écoule lentement et par saccades dans le seau. Puis il tourne la tête vers moi et me tente, comme pour un lapin avec une carotte : « Approche-toi, ma poulette! Elle te dévorera point,

ces braves bêtes sont herbivores! Ça ne mange pas de viande! Tiens ma grande! Ouvre la bouche! Je vais t'en faire goûter du tout chaud, directement du pis de celle-ci! » Sans un mot, plantée sur mes jambes écartées, je ris de toutes mes dents. Il me fait gicler du lait directement dans ma bouche! Ce n'est pas mauvais, mais quand c'est froid, c'est meilleur. Je suis si fière de cet exploit que je cours le conter à Henriette qui me fait taire parce que ça l'écœure. Maintenant, chaque fois que je bois du lait, je repense à mon exploit.

JE N'AIME PAS LA PEAU DU LAIT

Esquivant le regard qui m'épie, j'enlève la peau du lait qui flotte sur mon café au lait. La fermière s'écrie :

« Petite sotte, qu'est-ce que tu fais? C'est le meilleur que tu jettes!

– Je ne peux pas l'avaler, ça colle dans mon gosier, ça me donne envie de vomir. » Ma sœur éclate de rire! Madame Chatenay ouvre un tiroir et en sort une vieille passoire. Elle me la donne avec un autre bol, en me disant : « Passe le lait, à présent, et arrête tes grimaces! » J'obéis et après je bois mon lait d'un trait.

« Je préfèrerais du beurre, s'il vous plaît! » dis-je en raclant mon pain. La fermière prend ma main et rugit :

« T'aimes pas ma confiture de ménage?

– Non, je n'aime pas ces pépins, ils me font mal quand je les mange…

– Ce n'est pas bien de gâcher la nourriture, vous deviez être trop gâtées! Ici, on ne gaspille rien, petite fille, souviens-t'en!

LE DOCTEUR

Ça y est! Le voilà! «Ça fait des heures qu'on vous attend», soupire madame Chatenay en ouvrant la porte au docteur. Henriette est gravement malade. Elle a vomi tout son repas. Elle est brûlante, plus de 40° de fièvre! On l'abreuve à la cuiller. Elle ne cesse d'appeler maman. Ce qui est grave, c'est que dans son délire, elle a parlé de mes parents. Pourvu que les Chatenay ne l'aient pas entendue. J'ai terriblement peur, je ne veux pas qu'elle meure. Tant pis, si elle m'embête! Mon dieu, je vous en supplie, faites qu'elle reste en vie! Le docteur descend, très soucieux. C'est à mon tour d'être auscultée. Les grandes personnes sont en train de discuter entre elles.

Il s'assoit dans la cuisine pour remplir l'ordonnance. J'imagine des choses effroyables. J'avance timidement, lui demandant :

«Elle ne va pas mourir, n'est-ce pas?

– Non, je ne pense pas». Alors, je lui montre mon baigneur dont la tête se balance. Il écoute son cœur au stéthoscope. Il me pose encore les mêmes questions. S'il continue, je m'effondre : j'ai de la fièvre, moi aussi.

«Que faisaient tes parents à Paris?

– Je ne sais pas» je marmonne. Il me prend par la main et nous montons à la chambre voisine de la nôtre, celle de la grand-mère.

Il recommence à m'interroger : «Avez-vous eu la rougeole? La coqueluche? La varicelle?»

– Seulement la rougeole, quand j'étais avec ma mère.

– Ils sont à vous ces manteaux de fourrure? Ils sont très beaux!

– Oui, c'est mon papa qui les a faits! » Dis-je avec fierté, le temps de le regretter. Il étale la serviette et pose sa tête doucement sur ma poitrine, puis il regarde mon cou en le tâtant de tous côtés. Il paraît que j'ai un goitre.

Après les adieux au docteur, je m'aperçois que Robert Chatenay a réparé mon baigneur. Il me le tend en déclarant :

« Maintenant qu'il va mieux, on va s'occuper de vous deux! On va vous mettre des ventouses.

– Des ventouses, qu'est-ce que c'est?

– Les voilà, il y en a neuf. » On dirait des pots de yaourt. Henriette dort encore. J'ai de la chance, ils commencent par ma sœur. Je suis trempée de sueur. À l'aide d'un tampon de coton imbibé d'alcool, ils font le vide à l'intérieur du récipient, en brûlant l'air à la flamme de la bougie. Puis ils les renversent sur son dos, comme s'ils faisaient un château de sable à la plage. De temps en temps, ma sœur implore : « Maman! Maman! », comme si notre mère pouvait l'entendre. Voilà qu'ils posent la neuvième ventouse! Après celle-là, ce sera à mon tour… Je tremble d'effroi.

LES FRAMBOISES DES CABINETS

Sur les buissons, il y a plein de framboises qui attendent qu'on les déguste. Elles vous mettent l'eau à la bouche mais on s'y pique les doigts. Elles sont devenues si belles qu'elles m'attirent et m'invitent : « N'attendez pas que l'on pourrisse, cueillez-nous dès maintenant. Alors, tant pis pour le péché, je me laisse tenter. C'est délicieusement bon. Sauve-toi vite, maintenant, as-tu oublié que l'on t'attend? Ton séjour aux cabinets, s'il dure trop longtemps, va t'attirer des ennuis.

Quelle surprise, quand au souper, on nous offre comme dessert, dans l'énorme saladier, devinez quoi? Misère de misère! Une montagne de framboises! La chaleur me monte au visage. Je dois être rouge comme elles. Je nage dans ma sueur. C'est le Bon Dieu qui me punit. « Goûte-les donc, petite! Sers-toi largement! » dit Antoinette Chatenay. Et pour une fois je me sens vraiment bête. Elle montre les petits fruits, les admire et les savoure. Puis vient le moment d'aller dormir. Dans la chambre, comme un ange que sa conscience dérange, j'ai l'estomac à l'envers. Ce qui était si doux est devenu amer.

TA DENT NE TIENT QU'À UN FIL!

Depuis une semaine, ma dent me turlupine. J'essaye de ne pas y penser, mais elle m'agace tellement que je la tripote tout le temps avec ma langue. Monsieur Chatenay me demande : «Veux-tu que je te l'arrache? Elle ne tient qu'à un fil!» Pour qui se prend-il, il n'est pas mon père! Ni un dentiste! Je refuse.

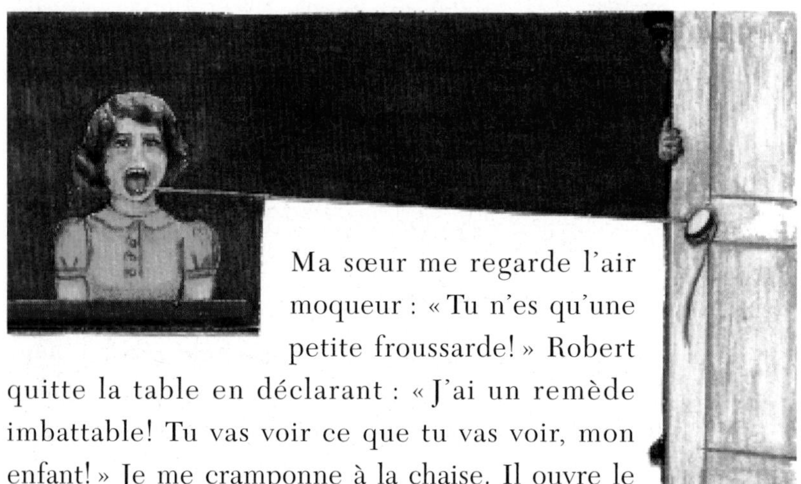

Ma sœur me regarde l'air moqueur : « Tu n'es qu'une petite froussarde! » Robert quitte la table en déclarant : « J'ai un remède imbattable! Tu vas voir ce que tu vas voir, mon enfant! » Je me cramponne à la chaise. Il ouvre le tiroir de la cuisine, y prend la bobine de fil blanc qu'il déroule lentement jusqu'à la poignée de la porte d'entrée. Puis il coupe le fil et en attache l'autre extrémité autour de ma dent. Ensuite, il s'en va en criant : « Attends que je sorte! » Et hop! Il pousse la porte d'un coup sec! Et ma quenotte s'envole avec! Pas le temps de dire : « Aïe! » que mon mal est déjà parti. Maintenant, il attend sa récompense. Timidement, je m'avance. Je m'assois sur ses genoux et je l'embrasse sur la joue. À l'unisson, nous nous sourions. À ma façon, je dis merci.

La famille Chatenay, été 1943.

CE N'EST PAS JUSTE!

Non! Je n'ai pas essuyé mes doigts contre le mur, Ce n'est pas vrai, ce n'est pas moi, je vous le jure! Les menteurs, ce sont eux! Y compris mémé et ma sœur. Et ils osent me dire que c'est vilain de mentir… Je suis la plus petite, alors on m'accuse de tout. Comme punition, je dois nettoyer le mur. Ah! Si Georgette était là, elle l'aurait lavé à ma place. Mais il n'y a personne pour me défendre.

Je peux crier, on ne va pas m'entendre. Les Chatenay ont fermé la porte à clef et sont allés à la messe où prêche le curé. Le Bon Dieu qui est partout, qui voit tout et qui sait tout, ne leur pardonnera pas cette faute. J'ai beau hurler la vérité, personne ne m'écoute. Je n'ai pas l'âge de faire le ménage, quand même! Non, ce n'est pas juste! Et ils veulent que je les aime après ce qu'ils m'ont fait! Ils attendront longtemps, très longtemps! Je le répéterai à mes parents! Oh! maman, je pleure de désespoir.

C'EST UNE BRIQUE CALORIFIQUE...

À la tombée des froides nuits d'hiver, lorsque le souper est cuit et que l'on dresse les couverts, mémé en profite pour enfourner des briques à l'intérieur du fourneau bien chaud. Quand vient le moment de monter se coucher, madame Chatenay étale les serviettes de toilette sur la table. À l'aide de sa grosse pincette, elle empoigne l'une après l'autre les briques qu'elle sort du fourneau et les dépose au centre du tissu blanc, en prenant soin de ne pas se brûler les mains. Puis elle les enveloppe chacune séparément. Elle les emmaillote comme le faisait tata Sonia lorsqu'elle langeait ma petite cousine Monique. Et comme d'habitude, elle désigne ma sœur : « Toi, la grande! Va donc placer cette bouillotte dans votre chambre, juste au milieu du lit! » Et moi, je ne lui ai toujours pas dit qu'Henriette n'obéit pas : elle place la brique de son côté du lit. Car quand je compte les barreaux de la tête de lit, en les énumérant tout haut, je vois que ma sœur dénombre trois barreaux pour moi mais quatre pour elle. Elle a toujours le dernier mot.

Je dois me battre contre ma grande sœur! Tous les soirs, c'est la même histoire qui recommence! C'est à celle qui allongera la première ses jambes par-dessus la brique. C'est encore elle qui gagne, bien entendu! J'ai perdu d'avance. Enfouie sous les couvertures à la maudire, je ferme les yeux, mais je me figure son sourire victorieux. Et malgré son péché d'égoïsme, elle finit par s'endormir. C'est alors que je fais passer la chaleur de mon côté du lit pour chasser la froideur de mes pieds.

MON PANIER D'OSIER

Robert nous tresse un panier d'osier. Je le regarde travailler à la lumière de la grange. Je ne le dérange pas, au contraire! Je lui chantonne les chansons de l'école. Il en connaît plus que moi et m'accompagne de temps en temps. Il sait manipuler les rameaux, il les passe dessus, dessous, il sait boucher les trous en suivant les courbes alignées qui rejoignent la poignée. « C'est pour toi, ma fille! Je dois le faire correctement » dit-il sans lever le nez. Et en silence, je l'admire. Mais au bout d'un certain temps, ce n'est plus lui que j'observe : dans l'image que j'ai peur d'oublier, je vois maman à l'atelier. Et en bas de l'escalier, je suis assise, l'attendant impatiemment. Je lui demande : « T'en as encore pour longtemps? » Quand elle essayait des vêtements sur moi, je me pavanais devant elle. Et quand ça m'allait, elle me souriait. J'imitais ses clientes, j'étais si heureuse!

Robert est gentil avec moi, mais il n'est pas mon papa... Il est si différent! Le mien jouait comme un enfant. Une fois, papa m'a placée dans mon landau de poupée qu'il a poussé en courant jusqu'à s'essouffler! D'un seul coup, le landau a craqué et mes pieds ont touché le pavé. Nous nous tordions de rire. Si j'avais du chagrin, il me prenait dans ses bras et me faisait des câlins. La vie était bien plus drôle qu'ici. Je me souviens de son odeur, un doux parfum de fleur. Je recevrai ce panier à Noël, dans mes sabots placés devant la cheminée, premier cadeau que je pourrai garder. Au nouvel an, quand j'offrirai mes vœux aux Chatenay, j'en garderai quelques-uns pour mes parents…

Souvenir déchiré mais vivant. Mon premier festin d'anniversaire chez nous.
Je suis entourée de ma famille. Décembre 1937.
De gauche à droite : ma tante Sara, exterminée à Treblinka;
mon oncle Léon, prisonnier de guerre, encore vivant,
et sa femme, ma tante Rose; mon père et ma mère avec nous sur les genoux;
Salomon dit «Poupko», admirateur de tata Sonia, à côté de son mari,
tonton Wolf, tellement gentil.

SECOND NOËL À VATILIEU

Il fait très froid dehors, mais à l'intérieur, le fourneau à bois enveloppe mon corps de sa douce chaleur. Je mets le couvert en silence, sur la belle nappe blanche. L'arôme de la cuisine pénètre partout. Je savoure d'avance la tarte aux framboises! Plongée dans un doux bonheur, je me vois soudain, près de ma mère, dans mon nuage imaginaire, lors d'un de nos repas de fête… Je me souviens de ces dîners des samedis soir, quand mon père éteignait la lumière, et que, dans le noir, il allumait les bougies disant à tous : « Bon appétit! » La joie se lisait dans les yeux et sur nos visages, illuminés par les bougies dont la lumière dansait au rythme de la musique de la radio. Quelle beauté! C'était si bon : le bouillon de poulet aux boulettes de farine de *matzè*, les *kneydlekh*… Et le cou farci d'oignons grillés dans la graisse d'oie,

les *gribeness*… Et les minces galettes de pommes de terre râpées, sautées à la poêle, les délicieuses *latkes*… Et ma fameuse crème franco-russe au chocolat, que je dégustais lentement! Et le regard protecteur de mes parents… Où sont-ils donc maintenant? Ici, j'ai droit à du gratin dauphinois, fait exprès pour moi, et pour finir, à un succulent dessert que j'adore. Mais je m'ennuie désespérément. « En cette veille de Noël, prêche le curé, Jésus-Christ est né à Bethléem! » Moi, je suis née à Paris dans le 19e. Et je me sens absolument abandonnée…

Je suis triste, car, dans la grande crèche de l'église, j'ai vu le bébé entouré de sa famille. La mienne, on me l'a prise et personne n'estime qu'il soit nécessaire d'en parler. Après la messe de minuit, me glissant au fond du lit, j'étouffe mes pleurs. Je serre mon baigneur dans mes bras et, malgré ma peine, je m'endors dans ceux de papa. Il n'y a que là que je me sens chez moi.

LES BÛCHES ET LE CERCEAU

Mémé Chatenay a dû défaire les ourlets de nos manteaux de fourrure et en refaire de plus petits. Paraît-il que nous sommes les seules gamines à en avoir d'aussi jolis dans le coin. Pourtant, ce ne sont pas les lapins qui manquent par ici, ce sont les bons fourreurs. *Ils* étaient à Paris, puis à Drancy. Maintenant, *ils* sont absents…

Personne ne m'embête vraiment, sauf ma sœur, bien sûr! Quand elle commande, je me défends, mais je parle moins. Pas de réponse, pas de reproche, je garde ma langue dans la poche! Mais je la ressors de temps en temps pour montrer que je l'ai encore bien pendue.

C'est mon second hiver à Vatilieu. Ces derniers temps, ça va mieux. Nous sommes les filles des Chatenay, les enfants de la sainte famille! Oui, à table, je laisse des restes! Je donne mon gras au chien qui l'apprécie beaucoup. Mais il croque si fort qu'on me sermonne : « Il y a des orphelins plus malheureux que vous qui crèvent de faim parce qu'ils n'ont pas d'argent et qui vivent dans la misère à cause de la guerre! Et vous faites les difficiles! » À qui le disent-ils? Ils oublient tous les enfants qui ont leurs vrais parents à côté d'eux. Où sont les miens? Je l'ignore. Gardez vos sermons pour les méchants et pour les Boches!

Quand on me critique, je préfère m'en aller dehors et respirer librement, que de répondre des bêtises. Loin dans les cieux je m'envole, au-delà de la ferme, au milieu des jardins du Luxembourg, où je retournerai un jour. J'aurai une robe neuve, que maman m'aura tricotée, et des anglaises, qu'elle aura roulées entre ses doigts. Je la vois, les faisant glisser dans mes cheveux et les attachant d'un nœud.

Je cours après mon cerceau, comme avant, sous le ciel radieux. J'entends papa derrière moi : « Arrête-toi! Arrête-toi! » Je vais trop vite maintenant, il ne peut pas me rattraper, c'est que j'ai huit ans passés! Je revois mes parents. Je les admire, tendrement enlacés, sur les marches de l'escalier. Soudain : « Mar-gue-rite! »

C'est la voix de Robert Chatenay. Il semble en colère. J'allais oublier le bois que je devais ramener. «Alors petite! On n'attend plus que toi pour allumer le feu dans la cheminée, dépêche-toi! » Ah! Si je pouvais m'abandonner au rêve …

DES LUNETTES COMME PAPA

Ça faisait longtemps que je me plaignais de difficultés à lire de loin. J'ai même été punie, mise au piquet, à l'école. Pour que l'on puisse enfin me croire, on m'emmène loin de Vatilieu, faire examiner mes yeux. Paraît-il que je suis myope, que c'est héréditaire! Mais peu m'importe parce que je ressemble à mon père. J'éprouve tant de joie que je ne peux m'empêcher d'en rire… « Nous allons chercher les lunettes! » hurle Antoinette Chatenay à mémé en train de sommeiller.

« Qu'est-ce qui te manque à présent, petite tête de linotte? » implore Robert, me tapotant gentiment la tête. « Si nous retournons chez le docteur, je veux lui montrer mon baigneur… » Ses bras tombent de nouveau.

« T'es tout un numéro! Allez, va le chercher, mais grouille-toi, Toinette t'attend là-bas. » Nous embarquons devant l'école et je m'adosse contre le bord de la carriole. Et hue! hue! Les chevaux tirent la charrette. Pour passer le temps, je dors, ou plutôt je fais semblant.

Ils oublient souvent que je me nomme Marguerite. Je ne mérite pas toujours les surnoms qu'ils me donnent : *tête de linotte, la difficile, ma cocotte, imbécile…* Comment ne pas les laisser dire, si je ne veux pas finir dans un couvent? Où sont passés mes parents,

depuis l'éternité que je les attends? Seraient-ils morts? Sont-ils encore vivants? La guerre n'en finit pas, elle ne finira jamais! Nous resterons chez les Chatenay et deviendrons des paysans comme eux. Henriette veut faire sa communion privée dans une robe blanche de mariée. Quand nous changeons les draps du lit, elle se déguise dedans. Et je ne peux rien lui dire car mon opinion ne compte pas, elle pense que je ne dis que des bêtises. S'ils continuent de me mélanger la cervelle, je ne saurai plus comment je m'appelle…

L'oculiste ajuste mes lunettes : « Voilà elles sont prêtes!

Elles sont à toi! Admire-toi dans le miroir! » Perchée sur le tabouret, j'attends mon étui pour y ranger mes lunettes quand je ne les porterai pas. J'écarquille les yeux, je fronce les sourcils comme papa le faisait. Et j'aperçois son doux visage, qui me regarde, en face de moi. Oui, nous nous ressemblons davantage ainsi. Nous nous sourions en silence, nous nous observons tendrement.

« Alors, Marguerite! Es-tu contente? » L'image a pris la fuite, comme une étoile filante! Mme Chatenay remarque : « Tu ne dis pas merci? » en m'aidant à descendre. Je ne veux pas l'entendre. Elle me secoue le bras, en répétant :

«Qu'est-ce qu'on dit?

– Merci. Merci! » dis-je docilement, m'efforçant d'être polie. Pendant le chemin du retour, je cherche mon père dans les nuages. Je tripote mes lunettes, lève et baisse les verres au-dessus de mon nez. C'est curieux, tout m'apparaît plus net, l'Isère et Vatilieu.

Aussitôt seule dans la chambre, sans personne pour me surprendre, je vais devant la glace. Je m'admire de face et de profil, faisant toutes sortes de grimaces. Puis je baisse les paupières, j'imagine que mon père m'embrasse dessus, et je m'assois. Il est sur son fauteuil devant moi quand il m'apprenait à compter sur les doigts. À cinq ans, il me prenait sur ses genoux et me faisait autant de baisers sur les joues, plus un pour demain. Aujourd'hui, je n'ai pas assez de mes deux mains pour aller jusqu'à mille... Et puis, c'est inutile.

DU SKI À DEUX

Je ne vois pas les Allemands, mais chaque fois que je les entends ou qu'on en parle autour de moi, j'ai mal au ventre.

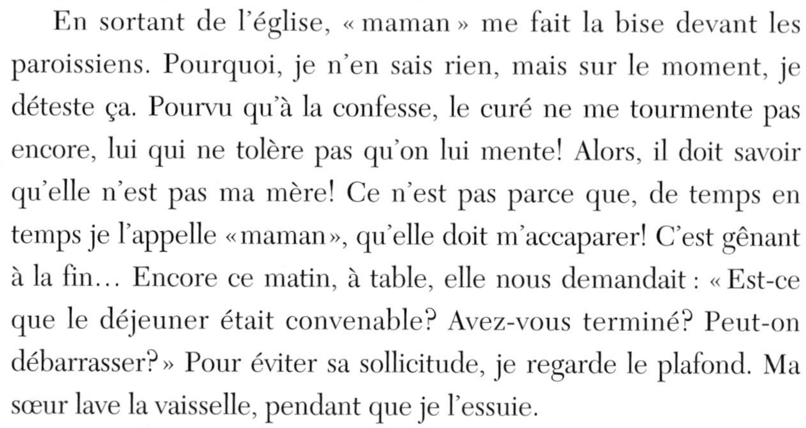

En sortant de l'église, « maman » me fait la bise devant les paroissiens. Pourquoi, je n'en sais rien, mais sur le moment, je déteste ça. Pourvu qu'à la confesse, le curé ne me tourmente pas encore, lui qui ne tolère pas qu'on lui mente! Alors, il doit savoir qu'elle n'est pas ma mère! Ce n'est pas parce que, de temps en temps je l'appelle «maman», qu'elle doit m'accaparer! C'est gênant à la fin… Encore ce matin, à table, elle nous demandait : « Est-ce que le déjeuner était convenable? Avez-vous terminé? Peut-on débarrasser? » Pour éviter sa sollicitude, je regarde le plafond. Ma sœur lave la vaisselle, pendant que je l'essuie.

Le «papa» a son gentil mot à dire aussi : «N'avez-vous pas fini, les mignonnettes? J'espérais que vous seriez prêtes! » Pourquoi nous dit-il cela? Et il reprend : « Voilà qu'il fait un temps splendide! Ça coïncide avec mon plan, oui, nous allons faire du ski deux par deux, toute la famille, ensemble! » De mieux en mieux. Qu'est-ce qu'il croit? Non vraiment, ça sonne faux dans mes oreilles. Les Chatenay discutent tout haut : elle maintient que c'est la luge qu'il nous faut! Lui, le ski. Elle soutient que le ski est un sport pour les adultes. J'ai rangé mes lunettes pour ne pas les

casser. Nous laissons mémé à son tricot et le chien pour garder la maison. Nous enfilons nos manteaux de lapin et nous voici dehors. Je respire la douceur de mon huitième printemps. La luge est dans la grange et ma sœur me pousse du coude pour aller la chercher. D'un air blagueur, Robert déclare : « Venez, on vous emmène! Vous allez voir ce que vous allez voir! Skier, c'est formidable! Incroyable! Inimaginable! Incomparable! » Dans sa tirade, notre farceur a oublié : « Effroyable! Épouvantable! » Je fais la tête : je n'ai pas envie de faire du ski.

« En route, mauvaise troupe! » Robert déclame jovialement. Je ralentis le groupe exprès, je suis têtue comme un âne. N'a-t-il pas compris que c'est de la luge qu'il s'agit? Je me plains de temps en temps à cause d'Henriette qui me fait tomber la tête la première dans la neige. Mais je ne veux pas être privée de luge! Au contraire : je voudrais pouvoir la guider! C'est normal que je me rebelle et qu'on se dispute. Mais c'est moi qu'on réprimande, et non la grande, et ça, ça fait mal! Les adultes pensent que je suis une pleurnicheuse mais en réalité, ils ne savent pas que j'adore écraser mon corps emmitouflé dans la neige poudreuse d'ici. Les yeux clos, les membres écartés aux quatre points cardinaux, je fais semblant de dormir dans un immense lit blanc, immaculé, sous le soleil éclatant de tous ses rayons d'or!

À la lisière de la piste de ski, les Chatenay nous séparent : « L'aînée avec la mère! La petite avec le père! » Je redoute le silence du cimetière que l'on vient de dépasser, dans l'indifférence accoutumée. Robert attache ses brodequins de cuir et me sourit avec un clin d'œil. Puis il se redresse et à toute vitesse, s'élance en criant : « Regarde-moi! La prochaine fois, tu viens avec moi! » Qu'est-ce qu'il croit, que je vais le suivre? Du même coup, j'aperçois ma sœur plaquée contre Toinette montée sur ses skis. Dans cette posture, elles dévalent la montagne à toute vitesse! Puis elles tombent toutes deux, en hurlant à tous les vents : « Sauve qui peut! Sauve qui peut!» Mon Dieu! Lorsque Robert sera de retour, va-t-il falloir que j'y aille à mon tour? Je ne me vois pas collée sur son postérieur, j'en éprouve trop de dégoût.

Peut-être qu'une prière me tirerait d'affaire; je ferme les yeux : «Au nom du Père, du Fils, du Saint-Esprit, ainsi soit-il. Je vous en supplie, emportez-moi à mille lieues d'ici!» Dieu m'aurait-il entendue? Ai-je la berlue? Est-ce moi, à califourchon sur le dos de papa, à quatre pattes, sur le tapis vert du salon? Au galop! Au galop! Je me cramponne à chaque saut, pour qu'il ne m'échappe pas! Et telle l'écuyère du Cirque d'Hiver, je l'éperonne puis je l'embrasse. Ensuite, à voix basse, ma joue contre la sienne, je balbutie : «Oh, que je t'aime…» Quand il se lèvera, je resterai pendue à son cou et il me promènera en sifflotant, comme un pinson, une de ses jolies chansons… Non! Non! Pas : *Une fleur au chapeau, à la bouche un vieux mégot…*, celle-là, c'est Robert qui la fredonne. Hélas, l'homme qui se tient devant moi n'est pas mon père. Robert s'impatiente et s'approche de moi. L'image réconfortante de mon vrai père a troublé ma raison. «Dis-moi, Marguerite! N'aurais-tu pas la *pétoche* par hasard?» Il se moque de moi mais je ne bronche pas. «Allez, va! Monte sur mes skis et tu verras. Allons, fillette, ça descend tout seul! Je te recommande de t'accrocher à mes jambes! Ça y est? J'y vais!»

Il m'embarque, m'entraîne au désastre. Je le serre très fort et dans le vide, je m'engouffre! C'est trop rapide! Petite comme je suis et mon visage collé sur ses fesses, je me sens mal à l'aise mais je me tais. Oh misère, tout est à l'envers! Maman! Maman! Et pataclan! Nous faisons une cabriole et nous tombons dans la neige! «Pas si mal pour un début, t'en es capable, tu vois?» me dit l'expert en rigolant. Découragée, je remonte la pente, mais mon abattement ne dure pas longtemps. La seconde fois, c'est beaucoup mieux. La troisième, je renais! La quatrième, ma peur s'est envolée. La cinquième fois, merci mon Dieu! Robert est persévérant, et contrairement à ma sœur, jamais en colère contre moi. Je suis très fière de cet exploit!

TATA SONIA!

La maîtresse m'a fait sortir de l'école, c'est soi-disant urgent. Mon cœur bat à grands coups. Ma sœur me devance. En arrivant chez nous, Mme Chatenay annonce sans nous regarder en face : « Mettez vos robes du dimanche! Nous allons à Grenoble, quelqu'un attend. » Qu'est ce qui se passe? Les Chatenay n'ont pas l'air contents. Pourvu que ce ne soit pas à cause de la concierge, cette commère nous aurait-elle encore dénoncées? «Saleté!» C'est le dernier surnom, que maman lui avait donné, avec raison! «Inutile de t'encombrer du baigneur! Ce n'est qu'une visite» me chuchote le fermier, particulièrement bien habillé, me prenant la poupée des bras. Et pour quelle raison? Il la dépose sur le buffet:

«Voilà qui est parfait. Ici, personne ne te la prendra!

– Oui, mais au cas où, je...», je bafouille, maladroite. Mon cœur bat très fort. Je crois qu'on m'embobine. Je n'aurais pas dû l'écouter, j'aurais pu l'emporter. Ils savent qu'on me l'avait confisquée au couvent, je l'ai raconté si souvent...

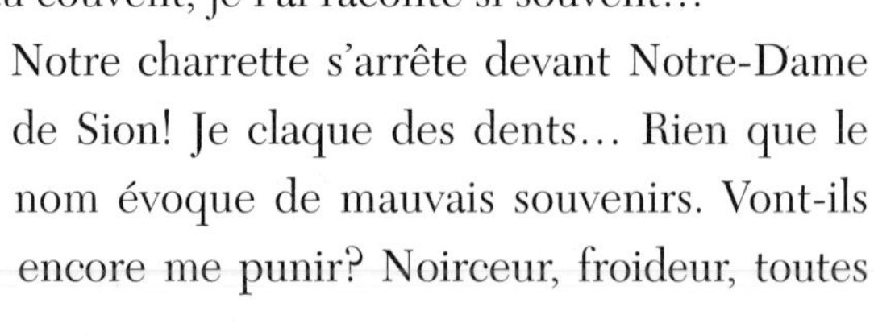

Notre charrette s'arrête devant Notre-Dame de Sion! Je claque des dents... Rien que le nom évoque de mauvais souvenirs. Vont-ils encore me punir? Noirceur, froideur, toutes mes épreuves me remontent à la gorge. Il ne faut pas que je pleure, mais comment calmer mon appréhension? On sonne à la grande porte et notre escorte nous abandonne, proclamant : « À tout à l'heure! » Vraiment? Henriette est muette comme une carpe. Son regard inquiet considère l'austérité du monastère. La poignée bouge. J'ai la figure en feu. Je dois être écarlate! Je respire aussi fort que je le peux, puis Henriette et moi saluons en chœur les nouvelles venues : « Bonjour, ma sœur! Bonjour, ma Mère! » Elles nous dévisagent : «Comme elles ont l'air d'être sages!» Et la Mère supérieure nous tend les mains, nous guidant ainsi jusqu'à la salle d'attente. Prête à tomber du fauteuil sur lequel elle semble dormir, une élégante femme tressaille en nous voyant. «Tata Sonia?» s'exclame Henriette qui a reconnu notre tante avant moi, «tata Sonia?»

– Enfin! soupire celle-ci, se redressant soudain. Mes chères pétites! Dites-moi que c'est bien vous!

– T'aurais pas dû venir, tata! Ils vont s'apercevoir…, continue Henriette.

– Chut! l'interrompt-elle, lui serrant les mâchoires, né vous n'inquiétez pas, c'est pour céla que jé porte cette voilette!» Elle la soulève et je m'avance. C'est alors qu'avec un intense plaisir, je reconnais, sous son chapeau, le beau visage de ma tante. « Tata Sonia! » Je n'en reviens pas. Elle nous regarde tendrement en expliquant : « Jé voulais m'assurer que vous étiez vivantes! Jé suis tellement contente dé vous révoir, jé peux à peine y croire! » Elle sort son mouchoir, en tapote ses paupières maquillées, et se mouche fortement le nez. J'ai envie de l'embrasser, mais quand pourrai-je la toucher? Elle enlace la grande. Elles se font *des messes basses sans curé*, et moi j'attends toujours… Ça y est! Tata se tourne vers moi : « Bonjour, bébé, comment ça va? Qu'as-ti fait dé tes bonnes joues? » Interroge-t-elle de cet accent, que tout à coup, je me rappelle. « Ici, tout le monde me nomme Marguerite », je lui réponds rapidement. « Alors Marguérite, ti manges pas assez? Vous faites les pétites gâtées? Jistement, voici quelqués friandises à partager. » Elle prononce *i* au lieu de *u*. « Il né faut pas en prendre plis d'ine par jour, mes amours, c'est promis? » La sœur sourit malicieusement. « C'est promis », lui répondons-nous en chœur.

Tata nous étreint contre elle, nous embrasse l'une et l'autre sur le front, le menton et même dans le cou. Nous bavardons beaucoup. « C'est le moment pour votre train, madame! » informe gravement la sœur. Le carillon sonne les quatre heures qui font des vagues dans mon âme et gâchent mon plaisir. « Déjà? Mon Dié! Merci, ma sœur, merci pour toute. Excusez-moi dé vous avoir dérangée, j'avais pas lé choix, vous comprénez? » Je doute qu'elle comprenne… La Mère supérieure hoche pourtant la tête, confirmant : « Bien sûr que je vous comprends. Que le Tout Puissant soit témoin de ma compassion pour vous. »

Tata enfile son manteau et nous embrasse de nouveau. Puis elle s'en va à reculons, en s'écriant : « Au révoir, les enfants! Que Dieu nous protège tous! » J'ai des frissons dans tout le corps. Sa voix était si douce. « Au revoir tata! Merci pour le paquet! » lui répondons-nous. De retour chez nous, je respire son parfum sur le dos de ma main. Je me couche contre mon baigneur et lui transmets l'inoubliable odeur. Je me sens triste. Perdue dans mes pensées, je n'arrive pas à m'endormir…

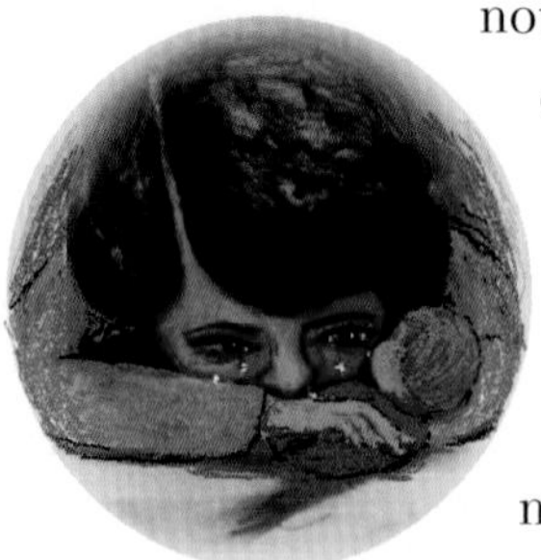

MA BONNE FAUVETTE

Heureusement que tu es là, les autres ne m'entendent pas. C'est la fête à l'école, pour tous, sauf pour moi. Je savais ma chanson, sans une faute, l'ayant répétée souvent à voix haute. Tiens, écoute : *Sont les filles de la Rochelle, ont armé un bâtiment*... Eh bien, on me l'a prise! Maintenant, je ne veux plus leur parler. Les vaches! Pardon, je ne le dis pas pour toi. Toi, tu es ma préférée, une vache si douce! À toi, je peux confier n'importe quoi! Nous nous comprenons toutes les deux! Ce sont tous des voleurs, y compris ma propre sœur. Quelqu'un lui a piqué sa chanson, « La truite de Schubert » :

Voyez, au sein de l'onde,
Ainsi qu'un trait d'argent,
La truite vagabonde,
Braver les flots changeants.

Elle connaît des dizaines de chansons, pourquoi prendre la mienne? Elle n'avait qu'à choisir « Les tilleuls », par exemple :

Voici le lieu tranquille
Où lorsque tombe le soir
Loin des bruits de la ville
J'aime à venir m'asseoir…

Non, au lieu de celle-ci, la sans-gêne a chanté : « Les filles de la Rochelle ». Ça lui portera malheur. Tu vois, j'en pleure encore. Je n'étais pas d'accord, mais j'ai été obligée de me rabattre sur « Madame Tartine » que j'ai bégayé tant bien que mal. Ce n'était pas de la praline, c'est le cas de le dire… La salle criait : « Madame Tartine! On veut tout! » T'aurais dû voir ma tête, jusqu'au bout… Au lieu de m'applaudir, le public a continué de rire, entonnant avec : *Ne pleure pas Jeannette! Tra-la-la-lala-lala*… Ces gens sont plus bêtes que toi, ma Fauvette! Heureusement que tu es là.

MARDI GRAS

C'est la fête au village. Tous les enfants de notre âge sont déguisés. Ils se promènent de maison en maison pour se faire inviter à déguster des crêpes. Cécile et Denise, les nièces d'Antoinette, nous ont habillées de leurs vêtements qui sont un peu trop longs. Elles nous ont dessiné des masques en papier attachés d'une ficelle derrière la tête. Henriette crâne sur ses talons hauts, elle marche avec difficulté. Je préfère la casquette que Robert m'a prêtée, au moins je ne risque pas de me tordre les chevilles avec!

Le vieux monsieur d'en face nous offre des frites qu'il met directement dans nos bouches. Qu'est-ce qu'on mange! La graisse s'imprègne dans le papier à tel point que nos masques se déchirent. Nous sommes tordues de rire… Il redécoupe le bas des masques et les replace sur nos figures. Nous nous regardons dans sa glace, ça n'a pas l'air trop mal!

Se balançant d'un pied sur l'autre, ma sœur avance doucement. Pour éviter de trébucher, je fais comme elle. Nous avons été bien reçues partout. Au bout d'une heure, nous étions rassasiées. L'envie de crêpes m'étant passée, madame Chatenay range celles qu'elle a faites pour plus tard.

TOUT LÀ-HAUT, SUR LA COLLINE, LA COLLINE AUX OISEAUX...

C'est essoufflant de grimper la colline qui mène chez la cousine de madame Chatenay, mais de là-haut, la vue est si belle! Pendant qu'Antoinette bavarde dans la grande maison, où elle étale les offrandes qu'elle a apportées, nous nous hasardons à la fontaine aux oiseaux. J'émiette ma tartine de pain garnie de confiture et j'en jette des morceaux aux pigeons qui picorent avec appétit : «Petits! Petits! Petits! Petits!»

«Vas-tu te taire?» lance ma sœur, impérieuse. Je hausse les épaules, il faut toujours qu'elle me contrôle. «Petits! Petits! Petits! Petits!» Personne ne pourra dire que je gaspille, je nourris la famille qu'André, le neveu d'Antoinette, a apprivoisée. Henriette se croit intéressante, avec son oiseau sur le bras. Elle a de la chance que je ne sois pas méchante. J'observe de côté, et pour l'embêter, je chante :

Il était un p'tit homme,
Qui s'app'lait Guillery Carabi.
Il partit à la chasse

À la chasse aux perdrix,
Carabi titi, carabi toto, carabo,
[compère Guillery…

« Tu ne peux pas te taire? » relance ma sœur de mauvaise humeur. Elle ne me fait pas peur. L'oiseau gazouille pour m'encourager, moi, et pour l'embêter, elle. Henriette m'envoie un coup de pied de travers, me faisant tomber dans l'eau.

« C'est pas rigolo! Ma robe est mouillée à cause de toi! Si maman s'en aperçoit, je me ferai gronder!

– Bien fait! T'avais qu'à pas commencer!

– C'est pas vrai! Tu m'as poussée.

– T'es complètement folle! À cause de toi, l'oiseau s'est envolé Sainte-nitouche! Je vais te faire taire! »

Sur le pas de la porte, apparaît madame Chatenay, de sorte que nous l'échappons belle… Car la dispute a failli mal finir… Nous nous serions fait réprimander. « Êtes-vous sages, petites? La cousine vous invite à boire! » Je n'ose pas m'asseoir, les gouttes dégoulinent sur le carrelage de la cuisine. Je prends mon verre de lait et je m'en vais rejoindre mon ami à plumes tandis que les autres oiseaux grignotent…

À la claire fontaine,
M'en allant promener,
J'ai trouvé l'eau si belle,
Que je m'y suis baignée.
Il y a longtemps que je t'aime,
Jamais je ne t'oublierai…

Cette chanson me fait de la peine et de la joie, les deux à la fois… L'oiseau bat des ailes et s'en va en rejoindre un autre! Une plume s'échappe au vent, que j'attrape au vol, la serrant dans ma main.

ON TUE LE COCHON!

De bon matin, notre trottoir se transforme en abattoir. On va tuer un cochon. Les Chatenay ont choisi la plus grosse truie. Elle a nourri ses petits, son travail est terminé. Toute la maisonnée est en grands préparatifs, même mémé laisse son tricot pour la circonstance. Des hommes sont venus nous aider. Ils mettent une planche sur des tréteaux et placent un escabeau derrière, puis ils aiguisent les couteaux. À la cuisine, on astique les casseroles dans la bonne humeur. On étend des draps blancs sur les tables. Il faut que ça soit impeccablement propre. On entasse les cocottes, les bassines et les cuvettes. Il n'y a plus de place dans la cuisine, elle est prête pour la boucherie. Les bourreaux ont l'air guilleret. J'ai pitié de la pauvre bête qu'ils tirent de la porcherie. Elle doit sentir qu'elle va mourir, elle ne veut pas avancer… Heureusement que j'observe cet impressionnant tableau à travers les carreaux de la fenêtre, mais les portes sont ouvertes. Ils la tiennent à plusieurs. J'ai de la peine et un peu peur. Le boucher glisse la brillante lame sous le cou de la bête hurlante, l'égorgeant sur le coup! C'est horrible! Le sang gicle et coule dans la cuvette. Antoinette la dépose devant moi, je fais comme si je ne la voyais pas mais j'ai envie de vomir. « Touche, c'est encore chaud! » déclare la fermière, ajoutant à mon attention : « T'as le teint plutôt pâlot, sors un peu dehors! » J'y vais à reculons. Je ne mangerai plus jamais de jambon, ni de boudin, ils m'ont coupé l'appétit.

Ils ont suspendu la truie par les pattes de derrière, en haut de l'escabeau. Je pense à ses pourceaux. Robert tient fièrement la tête dégoulinante dans ses mains, pour l'indispensable photographie, entouré de ses amis. La carcasse pend, le ventre vide. Dans ma curiosité morbide, je les regarde couper les morceaux et préparer les jambonneaux. Ils lavent les boyaux, pour les remplir de chair à saucisses. Mémé fait bouillir le sang du boudin. On sale le reste qu'on tasse dans une caisse appelée le « saloir ». On ne manquera pas de viande cet hiver.

Leur travail achevé, les hommes l'ont arrosé en buvant des verres de pinard et en chantant : *Ah, le petit vin blanc; Boire un petit coup, c'est agréable*…, et la plus appropriée : *J'aime le jambon et la saucisse, mais j'aime encore mieux le lait de ma nourrice*…

UNE RENCONTRE PARTICULIÈRE

Ça fait une heure que l'on discute. Ma sœur cherche la dispute. Je m'échappe, feignant le mal au ventre. Je passe devant les W.-C., mais je n'y entre pas. Je descends sur la pointe des pieds, et sans faire de bruit, me dirige vers l'écurie. L'obscurité ne m'inquiète pas, je connais toute la maison, de la cave au grenier. J'ouvre la porte de la grange et la lumière m'éblouit! Étrange, en pleine nuit... Au bord de la mezzanine, tel un chien aux aguets, prêt à bondir, un jeune homme accroupi s'étire, les yeux braqués sur moi. D'où sort-il donc, celui-là? Que fait-il ici, en pyjama? Devant mon regard inquisiteur, il déploie son corps, bâillant intensément. Puis il empoigne la balustrade et se redresse, en me fixant. Dieu, qu'il est grand! Il ne me fait pas peur car il a une bonne tête. Le beuglement d'un des animaux de l'écurie perce le silence. Nous nous sourions, en remerciant la providence qui nous a réunis.

Sans une parole, je quitte les lieux, soulevant ma chemise de nuit, pour qu'elle ne soit pas salie. Je ne dis rien à personne. J'enlève mes chaussures, monte l'escalier et arrive à l'embrasure de la porte. Ma sœur ronfle sur son oreiller. Elle porte son chapelet, comme si c'était un collier, une vraie catholique! Couchée sur ma moitié de lit, je revois l'intrus tombé des nues, au creux de son nid de paille. Il ne doit pas être à l'aise…

LES CHATENAY PARLENT DE LUI.

Des éclats de voix montent par saccades. Mon imagination s'emballe. Je n'arrive pas à m'endormir à cause de la lumière dont Henriette a besoin pour lire, après ses prières. Je fais une escapade aux cabinets d'où j'entends mieux. C'est Robert qui parle : « Il n'a peut-être que seize ans, mais il est grand! Un brave gaillard, qui ne demande qu'à bosser! » La porte claque, je fonce me coucher. Le lendemain matin, je ne peux pas résister à la tentation d'un petit détour par la grange. C'est sur mon chemin, puisque je vais à l'école. J'entendrai si la cloche sonne avant la demie. Zut! Le jeune homme est parti! Je m'en vais mais voici qu'Antoinette bloque mon chemin : « Combien de fois devrai-je te répéter, de pas fouiner sans permission? » interroge-t-elle excédée. Je suis surprise car je pensais qu'elle avait terminé son travail à la grange. « Tu ne m'entends pas quand je te parle? » reprend-elle, sévèrement. Je hausse les épaules négativement. Est-ce que je sais combien de fois je n'entends pas? Je ne bronche pas.

« Si tu ne vas pas à l'école de suite, je vais te faire travailler! As-tu perdu l'usage de la parole?

– Heu… Non, mais je suis en avance pour l'école…

Elle n'a pas de patience : « Tu vas être en retard si ça continue!

– Tant mieux, j'en ai marre, si j'avais su…

– Et ça vous répond par dessus le marché! Ta langue est moins déliée quand je te demande des renseignements, tu fais ton bébé! Alors, qu'attends-tu pour aller l'école?» Je pleure, consternée. «C'est pas l'moment d'*chialer*, remue ton popotin et file, avant que j'lève la main!» Et sonnez les matines! J'entends la cloche, la porte sera fermée. Je serai punie, j'en suis sûre. J'ai l'impression que mon cartable est plus lourd que d'habitude. Qu'est-ce que je vais prendre!

FRAPPEZ FORT!

Je marche lentement vers l'école, implorant la madone.

Je m'arrête en face de l'écriteau : « FRAPPEZ FORT », j'inspire profondément. Ils vont voir que j'ai pleuré et vont se moquer de moi. Je dois être rouge comme une tomate, une bonne candidate pour le piquet avec une mauvaise note. Je tremble. Il suffirait de me sauver, de courir à travers les vergers et d'y manger les fruits qui sont à terre. Je sais comment traire les vaches, moi! Je n'aurais qu'à boire leur lait. Je ne mourrai pas de faim! C'est décidé, je m'en vais! Je chercherai mes parents et je les retrouverai! Je veux rentrer chez moi!

C'est raté : Antoinette la marâtre est devant moi, telle une girouette, le bras pointé vers l'entrée de l'école. Je suis coincée. Nous nous observons méchamment, nous nous dévisageons sans que je desserre les dents. Oh, maman, maman! J'essaye d'être sage, mais je ne sais plus comment.

Pourquoi me punir ainsi? Comment frapper à cette porte?

Mes larmes m'empêchent de la voir. Je ne suis qu'une bécasse que personne ne veut aider. «Qu'attends-tu donc? Que je vienne?» braille ma gardienne. Je n'ai vraiment pas le choix. Je cogne aussi fort que je le peux : Un! Deux! Trois! Mon Dieu! Ayez pitié de moi.

IL S'APPELLE BERNARD HANAU

Il habite la mansarde au-dessus du hangar. Son lit est accoté au mur de nos W.-C. Il peut nous écouter aussi, car lorsque j'y suis, il m'arrive d'entendre la voix nasillarde de sa radio : « Français, Françaises! Tut! Tut! Tut! La France en exil parle aux Français… Tut! Tut! Tut!» Un jour, avec monsieur Chatenay, ils ont crié de joie : « Hourra! Hourra! » J'aurais voulu être avec eux. Tous les soirs, il revient du travail, crotté de partout, pour boire un verre de vin et feuilleter le journal. Puis il me lance un clin d'œil en silence. Je réponds d'un sourire, qui doit lui faire plaisir, car il devient plus gai. Je crois qu'il sent que je l'attends…

Quelques années plus tard, photo du service militaire.

C'EST LE JOUR DU SEIGNEUR

Le soleil est resplendissant! À la bonne heure, je suis prête la première! J'en suis très fière, rien de tel pour me mettre de bonne humeur. Je vais dehors à l'insu de toute la famille, trop occupée à se faire une beauté pour aller à la messe. Depuis qu'Henriette chante dans le chœur de l'église, elle répète sans cesse ses morceaux de musique. Tous les jours, elle me rebat les oreilles de ses vocalises.

Étonnamment endimanché, planté sur ses jambes écartées, mains dans les poches, Bernard Hanau, le commis fermier, ne voyant pas que je m'approche, cherche le Bon Dieu dans les nuages. On dirait qu'il se perd au-delà des sommets de l'Isère. À pas de loup, je me place en dessous de son champ visuel. C'est devenu une habitude. Mais cette fois, les bras croisés dans le dos, je fais un petit saut en avant… et le miracle s'accomplit : il me sourit gentiment. «Tu peux venir plus près, tu sais, je ne mords pas, vraiment!» Ce n'est pas ce que je pensais. Alors, il incline son long cou jusqu'à ce que je sente sa tête en face de moi. «Aimerais-tu voler dans l'espace?» me propose-t-il à voix basse, en dessinant le geste. «Voulez-vous dire : faire l'avion?» je demande. Et sans attendre, il m'attrape la cheville dans sa main droite, mon poignet dans sa gauche, et nous voilà partis l'un et l'autre pour une virée dans les nuages. «Bon voyage, petite!» Il tourne vite, très vite, très, très vite! Je monte, je descends, remonte, redescends, pour aller m'étourdir dans un tourbillon de plaisir et d'illusion. Le vent caresse mon visage, traverse mes cheveux, je me sens légère, légère

comme une plume! Je volerais jusqu'aux étoiles!

« On continue? » s'enquiert la voix qui doit me ramener sur terre. « Oui! Plus vite que les manèges! » À quoi pensais-je? Je ne vois plus rien du tout, qu'un brouillard follement doux, et PATATRAS! Atterrissage forcé. Que s'est-il passé? Me voici affalée sur le plancher des vaches. Il faut toujours que ça finisse mal. Je m'agrippe à Bernard, car ce n'est pas fini, ça tourne encore, la maison, le décor, tout est à l'envers!

«T'es-tu blessée quelque part? murmure-t-il craintivement.

– Je ne pense pas, mais ça pue drôlement…

– Évidemment, t'es tombée dans une bouse de vache! » dit-il, riant de toutes ses dents.

– Mes sandales sont dégoûtantes, mes fesses sont mouillées et ma robe crottée. Comment vais-je aller à l'église maintenant?

– En te lavant, c'est pas plus grave que ça, ne te tracasse pas.»

Il se remet à rire. Je marmonne entre mes dents : « Je vais recevoir une de ces raclées!» Bernard a l'air désolé :

«Veux-tu que je leur dise que c'est de ma faute?

– Non!

Je me relève et saute d'un bond. Je préfère l'effet de surprise. Je ne veux pas lui créer des problèmes, ça n'en vaut pas la peine.

« Sais-tu que ça porte bonheur? déclare-t-il pour me remonter le moral. On a bien rigolé quand même! Je leur expliquerai que c'est un accident, d'ailleurs c'est la vérité. Allez, adieu. J'y vais.»

Ce sera notre secret à tous les deux. Il y a belle lurette que je ne me suis amusée comme ça! Je cours jusqu'à la porte et entre essoufflée. Les Chatenay me regardent, éberlués:

«Où étais-tu passée? Que t'est-il arrivé? Ta robe, mon enfant!

– Je suis tombée parce que c'était glissant.»

Ma sœur est en colère contre moi parce qu'elle doit me nettoyer. Elle fait la dégoûtée en me plongeant dans l'eau froide du lavoir. Et moi, qui ne peux rien dire, je dois la supporter. Je ne pouvais pas prévoir que j'allais tomber! Elle fait sa martyre, je voudrais bien qu'elle soit à ma place. Elle m'en fait voir de toutes

les couleurs. Elle frotte, et frotte, et frotte avec la brosse. Je suis très mal à l'aise mais il vaut mieux que je ne dise rien. « Tu vas la payer, ta crotte, ma petite!» Elle fait sa grande, vous comprenez, et des grimaces pour montrer que je l'incommode. Les Chatenay ont maintenant trouvé une bonne raison pour m'enfermer à la maison, mais je ne regrette rien. Bernard est mon ami à moi toute seule. Je le raconte au chien qui, lui, sait fermer sa gueule. Black a remplacé Choukette. Je les aime tous les deux.

Avec Black, à Vatilieu, en 1943.

UNE SURPRISE?

Nous allons à l'église sans Robert, ni mémé. Il s'avère qu'ils sont occupés. Après la messe, Mme Chatenay décide de faire un tour à travers champs. C'est la saison des coquelicots, mais je ne cueille que les marguerites : les autres s'effeuillent trop vite. Tout en me promenant, j'écoute distraitement la conversation de la grande. Elle fait l'intelligente demoiselle et je préfère la laisser discourir. Quand nous arrivons à la ferme, nous trouvons M. Chatenay sur le pas de la porte avec du sang sur sa chemise. Il déclare qu'une surprise nous attend! « Une surprise? » ai-je hurlé d'étonnement. L'aînée m'envoie son regard accusateur. Que vouliez-vous que je dise? Les mots se sont échappés de ma bouche… La meilleure et la dernière surprise que j'ai eue, a été mon baigneur!

C'était avant la guerre, papa cachait les surprises qu'il nous apportait dans ses poches, derrière son dos, puis il les tenait si haut, qu'il nous fallait sauter pour les attraper. On devait aussi les mériter pour les avoir. Il tournicotait comme ma toupie, chantonnant sa rengaine magique aux oiseaux de sa cage : « Surprise! Surprise! J'ai des surprises pour enfants sages, y en a-t-il par ici? Y en a-t-il par là? Où sont-ils? Je ne les vois pas! » Nous nous agitions et nous fouillions partout, dedans, dessous, sortant tout ce qui se trouvait au passage. Il posait des questions, nous répondions par oui ou non, il voulait que je devine. Il m'aidait plus qu'Henriette. Et si la surprise était… bonté divine!… Papa?! Qu'il soit ici à nous attendre? Mon Dieu! J'en ai des larmes dans les yeux… Quelle surprise ce serait!

Je suis la famille aveuglément, serrant mon bouquet de fleurs dont j'écrase les tiges dans ma paume trempée de sueur. Le cortège s'arrête à l'écurie. « Je vous en supplie, Seigneur! Faites que ce soit lui! »

« Oh là là! Venez voir ça! L'adorable petit veau! Qu'il est mignon! Regardez sa mère, il lui ressemble! » s'exclament ensemble les Chatenay. Puis le fermier de bonne humeur : « N'allez pas leur faire peur! Elle vient de mettre bas, la brave bête, et elle a besoin de calme! » Ce n'est pas du tout ce à quoi je m'attendais. Les voici partis arroser l'heureux événement, suivis de ma sœur. Je préfère rester ici, avec ma peine au fond du cœur. Contrariée et déçue, j'avance main tendue vers l'innocent petit veau qui n'y est pour rien. Et comme le faisait ma maman avec notre chien, je le caresse dans le sens du poil : « Toujours dans le sens du poil! » insistait-elle. Je lui en veux, et pourtant, de temps en temps, en plein sommeil, elle murmure dans mes oreilles, cette phrase qui me hante : « Margué-ri-ta-lé, *maïne baïbalè…* ». Et toi, sur tes pattes branlantes, tu laisses promener mes doigts le long de ton dos : « *Do, ré, mi, fa, sol, la, si, do, gratte-moi la puce que j'ai dans l'dos. Si tu m' l'avais grattée plus tôt, elle ne s'rait pas montée si haut. Do, si, la, sol, fa, mi, ré, do…* » Papa me chantait cette comptine quand il me chatouillait.

LA CONFESSION

Quand Henriette va se confesser, elle invente des histoires pour le curé et à la fin, elle est lavée de ses péchés. Cette fois-ci, je me suis dissimulée à l'abri du confessionnal avant qu'ils y entrent et je les écoute sans qu'ils s'en rendent compte. Elle en ajoute et en rajoute. Je veux bien admettre que nous n'arrêtons pas de nous chamailler, mais elle va répéter tant de fois qu'elle m'a mordue et qu'elle m'a battue, qu'en réalité elle exagère! Elle ne me bat pas tant que ça parce que je ne me laisse plus faire! Mais ce n'est pas ce qu'elle lui raconte. La menteuse devra se repentir de ce qu'elle vient de confesser. Malheureusement, j'éclate de rire au lieu de déguerpir. Ils sortent tous les deux du confessionnal, je recule autant que je le peux, mais ils finissent par me voir.

«Que fais-tu là, malheureuse?» Je les regarde, remplie de honte. C'est à moi que le curé parle, faudra-t-il que je me confesse?

«Moi? Rien, je l'attendais.

– Et depuis quand?

– Tout le temps.

– Eh bien, mes compliments! À ton tour maintenant.»

Il me prend fermement le bras et me flanque sur le prie-dieu. Ça me guérira d'écouter aux portes. Sans que je puisse discerner son visage, il me demande:

«Qu'as-tu à te reprocher, mon enfant?

– Peut-être que je suis gourmande?

– Ne sais-tu pas, Marguerite, qu'écouter aux portes, c'est un péché? dit-il avec sévérité. J'hésite à lui répondre et j'avoue piteusement :

« Ma sœur est une menteuse, je l'jure! Depuis que j'me défends, elle n'me bat plus autant qu'avant!

– Parjure! Tu es trop curieuse et tu es rapporteuse de surcroît! enchaîne-t-il d'une voix fâchée. « Moi, je dis la vérité », j'insiste avec

témérité. «Et c'est tout ce que tu as à lui reprocher?» demande-t-il railleur. J'en profite, de bonne foi :

– Non. Avec une épingle à nourrice, elle fait des piqûres dans les cuisses de mon baigneur. Et quand je crie, elle recommence. Mais ça, elle ne vous l'a pas dit!

– Grand Dieu, quelle enfant! Elle ne voit pas ses propres fautes! Ayez pitié de son âme! Au nom du Père, du Fils, et du Saint-Esprit, ainsi soit-il.»

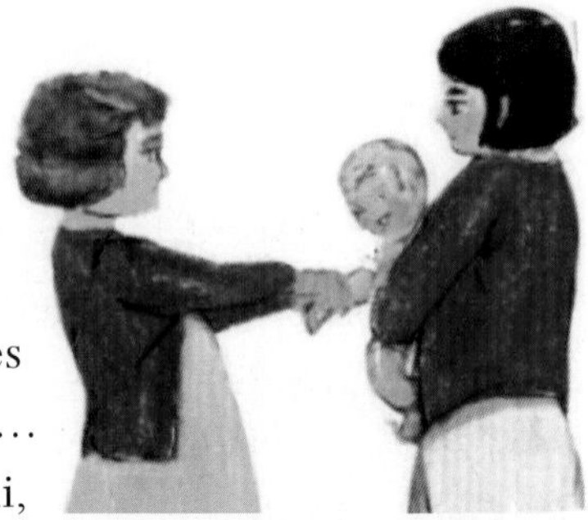

Il se redresse, me fixant dans les yeux : «Notre Père qui êtes aux cieux... ». Je récite en même temps que lui, faisant mon signe de croix comme il le faut. La séance terminée, je suis prête à partir. Mais il m'attrape et m'agenouille par terre, comme Jésus-Christ dans son calvaire. « Pour te punir de ton insolence, tu vas me faire le tour de notre église à genoux.» Ah, si je pouvais crier que je suis juive! Je garde cette pensée en tête pour me consoler. J'avance, lentement, sur le sol froid et dur. Avant la moitié du parcours, j'ai mal aux genoux. Je n'arriverai jamais jusqu'au bout... Personne à l'horizon. Je regarde dehors, me hasarde, sors, et cours à la maison.

JACQUELINE A TOUJOURS SOIF!

Depuis quelques jours, la nouvelle fille du village nous dit bonjour. Elle a notre âge et semble très gentille. Nous nous sommes fait des sourires timides. Je lui ai montré mon baigneur et, elle, sa poupée. J'aimerais bavarder avec elle, j'ai hâte de la connaître. Elle est dans la classe de ma sœur. Elle habite en face, avec sa maman, dans la petite maison. Je me demande pourquoi elles sont venues ici. Elles ont peu de choses, mais elles ne sont pas pauvres. Jacqueline possède une belle boîte de médicaments. Elle porte une jolie chaîne qui brille au soleil et elle a aussi un bracelet à son poignet. Les Chatenay nous ont dit qu'elles se sont réfugiées ici, sans rien rajouter d'autre. Elles ne parlent pas beaucoup. Quand nous nous rencontrons à l'occasion, je me garde bien de parler religion, même si j'en ai envie. Quand les voisins vont à l'église, elles les suivent de loin.

Quelquefois, l'écolière vient chez nous pour faire ses devoirs avec ma sœur. Je peux m'asseoir au bout de la table parce que faire son travail à plusieurs, c'est agréable. Elle n'a pas le droit de courir parce que ça pourrait lui être fatal! Sa mère lui fait des piqûres et contrôle sa nourriture. Pas de bonbons! Pas de gâteaux! Elle n'accepte que de l'eau à cause de son diabète. Elle boit constamment. Elle ne se plaint jamais, mais elle n'est pas tellement gaie. Quand nous sautons à la corde, elle la tourne tout le temps. Nous jouons aux cartes et aux dominos quand il ne fait pas beau, autrement, c'est au papa et à la maman. Dans nos jeux, les pères sont à la guerre et moi, je suis l'enfant, bien sûr.

SI NOUS LES APPELIONS PAPA ET MAMAN…

Henriette m'a parlé sérieusement des Chatenay. Ça fait plus d'un an que nous habitons chez eux! Elle me propose de les appeler papa et maman définitivement et veut savoir ce que j'en pense. Comment ose-t-elle accabler ma conscience? Que fait-elle de notre vrai papa et de notre vraie maman? Je ne la comprends pas. J'accepte que nous le fassions devant des gens, mais jamais pour de bon! Tous mes espoirs s'effondrent. Je n'ai pas envie de lui donner de réponse. «C'est oui ou c'est non?» insiste-t-elle. Je n'aime pas le ton sur lequel elle me commande parce qu'elle est l'aînée! Si je dis «non», elle va se fâcher et si je dis «oui», je me sentirai lâche. Que penseront nos parents quand ils reviendront? Elle me regarde intensément, moi, je pense à eux. Je l'entends me dire :

«Imagine donc, Marguerite! Ce qu'ils seraient contents, Robert et Antoinette! Pourquoi fais-tu l'idiote? Tu sais qu'ils veulent nous adopter. Nous nous ferons baptiser. Et un jour, dans ta longue robe blanche, tu feras ta communion toi aussi, comme toutes les autres filles. Alors, c'est oui? C'est demain que nous commençons?» Je ne fais pas attention à elle, mais elle me relance :

«C'est oui?» Elle me secoue si fort, que je lui dis :

– D'accord, fais comme tu veux, ça m'est égal.

– On le fera toutes les deux, à mon signal!»

Au petit déjeuner, entre ma honte et sa fierté, nous avons menti, en disant :

«Merci, maman.»

Le lendemain, je vais ramasser des pommes de terre avec Robert. Je cueille les coquelicots en évitant de l'appeler. J'écoute le bruit de nos pas et les craquements de la brouette. Je pense au discours de ma sœur, à mon amour pour papa. J'avance doucement sur le sentier bordé d'herbe et de regrets, me demandant s'il faudra que je perde le vrai pour gagner le faux. Je me revois loin d'ici, dans notre rue à Paris, avant la guerre, notre boutique près du tailleur, Monsieur Bieder, et je fais la comparaison. Je voudrais être ailleurs, à l'âge où mon père me prenait dans ses bras, où il tournait les pages et me lisait tout bas de belles histoires. Puis je posais ma tête au creux de son épaule et tout allait bien.

« Alors, tu viens, petite? » s'enquiert papa Robert.

«Mon nom est Marguerite!» je crie, troublée.

LA ROUSSETTE S'EST EMBALLÉE

Le temps ne passe pas vite, j'attends impatiemment la rentrée des classes. Robert m'invite à garder les vaches pour éviter que je me chamaille avec ma sœur. Elle travaille ses vocalises pour la chorale de l'église. Elle finira par se laver à l'eau bénite… Les champs sont verts et accueillants. Je me promène entre la Fauvette et la Noiraude, l'Émeraude et la Coquette. Sous un beau soleil, nous communiquons avec les yeux. De leurs regards pleins de tendresse, elles consolent ma peine. Mon « père » caresse la Roussette et je l'imite.

Elle est pleine, la grosse bête, couchée sur son ventre dodu. Quand mon « père » s'en va, je grimpe sur la vache. « Tu es ma favorite! » lui dis-je. Je la tapote gentiment mais ça l'énerve. Je m'allonge alors sur son dos, j'expose ma joue à la chaleur de son cou et, les paupières closes, je baye aux corneilles. Son corps réchauffe le mien et je me laisse aller à cette douceur. Puis je fais semblant de jouer à cache-cache, à colin-maillard…

Mais elle se fâche, se dresse et fonce devant elle! Nous passons en coup de vent devant « papa » stupéfait. « Hé, petite, n'aie pas peur! » s'écrie-t-il. Il faut le dire vite! Je glisse! Je vais tomber du haut de cette vache. Je m'accroche autant que possible au bout de sa queue. Puis je lâche tout et tombe par terre à la risée des autres vaches qui broutent. Elles me dévisagent toutes et je sais que j'ai appris ma leçon : lorsque les vaches se reposent, laissons-les tranquilles, sinon, c'est à nos risques et périls.

LA RAIE AU MILIEU

J'ai de la chance, on me donnera de la laine. Madame Chatenay défile le gilet que Robert a déchiré. Elle commence par le corps et va jusqu'aux manches, sans rien perdre. Je reste debout patiemment pendant qu'elle entoure mes bras tendus avec la laine du tricot pour former des écheveaux. Stop! À mon tour! Je vais enrouler la laine pour en faire des pelotes... Elle s'occupe à l'épicerie en attendant que j'aie fini. L'occasion de jouer à la dérobée est trop irrésistible et je ne m'en prive pas. De plus en plus rapide, je jongle avec mes balles. « Elles seront sales! » gronde la mère, détournant un instant mon attention. Malédiction, la laine tombe par terre! Elle ramasse les pelotes à ma place et les range dans le panier. Il ne me reste qu'à expier ma faute. Pour m'empêcher de rouspéter, mémé m'apprend à tricoter avec cette laine rigide. Une maille à l'endroit, une maille à l'envers, je fais les côtes d'un pull-over.

Je suis fâchée contre Antoinette. Je n'ai pas envie de l'appeler «maman» quand elle m'embête. C'est qu'elle a décidé que la raie au milieu m'allait mieux! Au lieu d'un ruban, j'en ai deux. Je n'en demande pas tant! Je ne me reconnais plus. J'ai l'air étrange et ça m'embête! Cette coiffure ridicule déforme mon visage. À l'heure du coucher, sans même les coiffer, mes cheveux vont du bon côté. Ce n'est pas pour rien que maman disait qu'il ne faut pas contrarier le poil des animaux.

LA PERQUISITION

Vers la fin de la classe, des bruits étranges nous troublent et me contrarient. Des roulements de pneus sur les cailloux, des claquements de porte. J'entends des cris inquiétants. Je me retourne discrètement et regarde à travers les carreaux de la fenêtre. C'est devant chez nous! Peut-être que c'est pour nous! Je pourrais essayer de me cacher sous le bureau de l'institutrice, mais je n'ose pas. La sueur coule sur mon front et pourtant j'ai des frissons et dans ma poitrine bat un tambour. Des uniformes bleu marine contournent l'école. Nous sommes cernés! Je ne pourrai pas me sauver. Dans ma détresse familière, je fonce derrière la maîtresse pour que les hommes ne me trouvent pas. C'est mon unique espoir.

Il y a plein de voitures noires dont une devant notre maison ainsi qu'un camion. C'est un piège. Ils vont m'attraper comme un lièvre et me mettre dans leur panier. On me fait sortir en premier,

encadrée des deux côtés. Maman pleure, papa m'implore : « Quand ils vont t'interroger, petite, dis-leur toute la vérité! » Les parents m'abandonnent encore...

L'individu m'entraîne à la cuisine. De quelle vérité s'agit-il? Est-ce des soldats, est-ce des policiers? Ils fouinent partout, ouvrant les tiroirs, vidant étagères et armoires, mettant tout à l'envers. Que cherchent-ils? Pourquoi celui-là s'approche-t-il de moi? Que veut-il que je lui dise, qu'il me paralyse de peur? « Comment t'appelles-tu? D'où viens-tu? Où es-tu née? Que faisaient tes parents? Es-tu ici depuis longtemps? Es-tu juive? » Je sens la chaleur de mes joues. Qui sont-ils vraiment? Attendent-ils que je raconte tout et me dénonce moi-même? Que j'avoue ma haine et ma terreur à cette bande de brutes? Vous n'aurez pas ma réponse, je ne prononce pas un mot. Antoinette m'épie : « Dis-leur Marguerite! Dis-leur qui tu es! Dis-leur pourquoi tu es chez nous! Fais-le pour toi et pour nous! Sinon, ils vont nous prendre mon Robert et tu n'auras plus de père pour la seconde

fois. Dis-leur, je t'en supplie! » Elle ne sait plus ce qu'elle dit. J'ai pitié d'elle, mais je ne dois rien dire quand même.

Ils sont plus d'une vingtaine. On me bouscule de tous côtés. Celui qui descend l'escalier a l'air plus sympathique que les autres militaires. Il me prend gentiment par la main et m'invite à le suivre à l'extérieur, rien que nous deux. Il me regarde en disant : « Je sais que tu t'appelles Marguerite, n'est-ce pas? C'est un bien joli nom. » Je ne desserre pas les dents. « Tu viens de Paris et tes parents y étaient fourreurs! Ta sœur me l'a dit. N'aie pas peur, je suis du maquis, je suis de la Résistance. Tu dois tout me dire. » Je ne bronche pas mais hoche la tête chaque fois. Il n'a pas pu le deviner, Henriette nous a dénoncées. La voici, les yeux rougis, me criant : « Maintenant, personne ne va nous croire! Ils savent qui nous sommes. Qu'allons-nous devenir? » Voyant Robert devant le véhicule, je le désigne et j'articule avec difficulté :

« Vous n'allez pas l'emmener?

– Certainement, mais on te le rendra, ne t'en fais pas! » J'ai déjà entendu ces mots-là...

La grand-mère vient

nous chercher pour que nous allions prier chez le frère d'Antoinette, en face. Nous prenons place au bout de la table, dans un murmure sourd, chacune avec son chapelet. Je compte les perles. Les maquisards déferlent dans leurs tractions avant, emportant ce père et me laissant dans mon brouillard de misère. Les adieux déchirants de sa femme me rappellent une scène semblable, il y a longtemps, mais je ne pleure pas autant. Quelques jours plus tard, on nous avait rendu Robert.

DEUX MAMANS

En rentrant de l'école, je flaire une odeur de gâteau dans l'air. Hélas, je soupçonne immédiatement que quelque chose ne va pas. Mémé tricote ses chaussettes et ne nous dit pas bonjour. Les yeux rougis et la tête d'enterrement de «maman» m'inquiètent. D'un ton caustique, Antoinette déclare : « Écoutez-moi les petites! Votre mère… – oui, madame Elias en personne – m'a appelée au téléphone. Après deux années d'absence complète, après n'avoir jamais répondu à mes lettres, elle se ramène au moment même où je pensais vous adopter! Et je découvre en plus qu'elle n'est pas folle comme on

me l'avait dit! » Son regard méprisant autant que malheureux nous fixe toutes deux. Henriette a la tête basse. Moi, je suis troublée par ce qui arrive. J'ai besoin de bouger, de me remuer. Madame Chatenay épie les aiguilles de la pendule : « Dépêchons-nous, les petites, dans une heure, vous avez rendez-vous avec elle! À Notre-Dame-de-l'Osier, devant la maison de ma sœur. Ma nièce vous accompagnera. Je n'en ai ni le courage ni la volonté. Dire que je vous ai gardées à ma charge, comme si vous étiez mes propres filles! Malgré tous les dangers! Et voilà comment on me remercie! » Je me tortille de honte. « J'espère qu'on ne va pas nous remettre au couvent! » j'implore tout bas. « Ce n'est plus moi qui décide, mes pauvres enfants, votre mère n'est pas malade! Et toi l'aînée, ta communion, il va falloir que tu t'en prives! » La sainte-nitouche ne profère pas un mot. « Maman » désigne enfin la pâtisserie que je convoitais : « Assez parlé maintenant, venez goûter à ma tarte aux framboises! » Elle est si appétissante que j'en engloutis la moitié de la tranche en une bouchée, mais Antoinette bondit sur moi : « Voyons, ma belle! Où sont tes bonnes manières? Veux-tu que ta mère m'accuse de vous avoir mal élevées? » Je n'ose rien dire. Bientôt, ce sera peut-être l'autre qui va se fâcher.

Il y a si longtemps que je l'ai vue, j'ai peur qu'on ne se reconnaisse plus. Ce sera comme à colin-maillard, il faudra deviner. Ça me donne un de ces cafards… Je me souviens de ses cheveux noirs qu'elle brossait tous les matins avant de mettre son parfum et tous les soirs après s'être déshabillée. Nous le sentions de l'escalier. Elle était si coquette, elle s'habillait si bien! Antoinette nous sert un second morceau. Puis elle m'essuie la bouche et me prend sur ses genoux. Des larmes coulent sur ses joues. Ça me fait de la peine. Maintenant, ça me gêne vraiment de l'appeler « maman ». Comment faire autrement? Qu'est-ce que l'autre va dire?

Elle nous coiffe, ajoutant des nœuds dans nos cheveux. « Faut-il prendre toutes nos affaires? » demande ma sœur qui fait la bonne élève et remplit déjà son cartable. Antoinette éclate en sanglots : « J'espère bien que non! Tout de même! » répond-elle en se relevant. Je n'avais plus de mère et aujourd'hui, j'en ai deux. C'est désagréable.

Cécile, sa nièce, vient nous chercher. Je tremble de tous mes membres. On nous monte dans la charrette, mais j'entends Antoinette demander : « Vous n'avez pas oublié quelque chose? » Oui : nous ne lui avons pas fait la bise. Notre malheureuse « mère » m'a prise et m'a serrée si fort que j'en ai mal partout.

La route est cahoteuse et notre voyage inconfortable, surtout que ce sont des vaches qui tirent la charrette. Bientôt, nous reverrons maman. J'ai hâte, mais j'appréhende de la voir également. Je suis moche, la raie au milieu. À droite, ça m'allait mieux. Nous voici arrivées devant la maison de Marie, la sœur d'Antoinette. On ne doit pas bouger d'ici. Cécile viendra nous chercher. Elle enlève l'attelage pour emmener les bêtes pâturer. Je m'adosse au bord de la charrette, observant ma sœur faire les cent pas. Nous ne nous parlons pas. « Ça y est! Elle sort! Je la vois! Maman! Maman! » hurle-t-elle à réveiller les morts. Elle saute, incapable de tenir en place! Je ne bouge pas. Maman n'avait pas une tignasse pareille! Elle a vraiment l'air d'une

folle! Qui est cette personne? Elle jette sa pèlerine, écarte les bras, tel Jésus-Christ sur la croix, et elle s'exprime, mal : « Mes pétites! Mes chères pétites! » Sa fille modèle fonce sur elle et s'accroche à son cou, parle sans arrêt et l'embrasse partout. Elles n'ont pas besoin de moi, ça m'est égal. Elles s'effondrent sur l'herbe, et elle m'appelle enfin : « Marguéritalè! Marguéritalè! » Ça m'énerve. J'hésite, puis j'accours malgré tout. Elle me prend sur ses genoux, au détriment de la grande… « Viens, *maïne baïbalè*, viens embrasser *daïne mamelè*, toi aussi, tu as grandi! Ti mé réconnais pas? » Lorsqu'elle me serre dans ses bras, je sens que c'est ma mère. Elle a le même accent que tata. Elles ne savent pas parler français : « Marguéritalè? » Plus je l'entends, moins ça me déplaît.

De son sac à bandoulière, elle sort des petits beurres avec du chocolat qu'elle nous offre, tant que nous en voulons! Nous rions aux larmes et nous pleurons de joie. Elle fait cadeau d'une belle montre à sa chouchoute. Ne se doute-t-elle pas que je sais lire l'heure moi aussi? J'en pleure de jalousie. Elle me glisse un paquet dans la poche : un tout petit baigneur, langé dans une étoffe. Je n'en ai pas envie mais je la remercie. Elle nous raconte qu'elle nous avait acheté de beaux bracelets d'identité, qu'elle les avait enveloppés dans un mouchoir avec sa grande cuillère en or, ses papiers, et ses bijoux mais que, durant une rafle à Lyon, alors qu'elle était chez l'épicier, elle a dû se sauver, oubliant son sac à provisions sur le comptoir. Dix minutes plus tard, quand elle est revenue, il avait disparu. « Voleurs! Brigands! » accuse-t-elle. Elle l'avait échappée belle! Elle aurait pu se faire embarquer et envoyer à Auschwitz, avec tous les pauvres Juifs. Elle pleure dans son mouchoir, je trouve ça pénible. Je ne peux pas placer un mot. Henriette parle beaucoup mais ce qu'elle dit est faux. Elle parle de sa vie chez les Chatenay et se fait passer pour Cendrillon. Comme d'habitude, elle exagère… Depuis la porte du couvent, une sœur crie : « Pensez aux enfants! Je vous en supplie, il est sept heures! »

Déjà? Je suis surprise. Maman se met à pleurer, avec ses yeux de grenouille. « Au révoir, Henriettalè! Au révoir, Marguéritalè! À très bientôt, mes pétites filles. » Elle nous embrasse vite. Elle est partie! Elle n'a pas dit quand elle reviendrait. « Maman! Maman! » murmurons-nous toutes deux, en même temps. Nous retournons chez les Chatenay, sur la route cahoteuse. Coude contre coude, nous sommes assises. Je préfère me taire que parler avec la menteuse.

Printemps 1945. Rencontre à Notre-Dame-de-l'Osier (Isère).

TOUT LE MONDE M'ÉNERVE!

Antoinette m'a repeignée la raie sur le côté. Depuis que nous avons vu maman, Henriette commande continuellement. Elle ne sait plus ce qu'elle dit. Elle a trop parlé contre les Chatenay... Je n'ose plus les regarder en face. Elle met tout sur mon dos. Je me sens très mal à l'aise et dans une confusion totale. Que va-t-elle dire au curé quant à sa communion? Combien de temps ces retrouvailles avec notre mère vont-elles durer? Antoinette nous observe et Henriette-la-girouette m'énerve! Oh, maman, maman! Si tu ne reviens pas demain, je ne réponds plus de rien.

MON TILLEUL

De mon lit, je l'aperçois qui se balance avec le vent. Parfois, j'écoute les oiseaux perchés sur ses branches. Quand il fait beau et que je m'ennuie, je m'assois au pied de mon arbre, contre son tronc, entre ses racines. Ça sent si bon que j'oublie les tourments qui me font de la peine. Mais cette fois, c'est la dernière sous ton ombre familière car je m'en vais à Lyon. Je ne cueillerai plus tes fleurs pour en faire des tisanes qui calment. Je suis venue te dire adieu, nous quittons Vatilieu et je vais changer de religion.

J'emporte quelques feuilles pour me rappeler le meilleur des tilleuls! Tu vois! Je touche ton bois afin que le bonheur m'attende là-bas.

Depuis la visite surprise de maman, les Chatenay se fâchent sans arrêt. À l'église, ils prient davantage que d'habitude et partagent plus ma solitude. Est-ce ma faute s'ils croyaient nous garder jusqu'à la fin de leurs vies? Je laisserai un peu de moi ici. Henriette deviendra la violoniste de papa! J'ai tant rêvé de me réveiller à Paris, dans ses bras, entre lui et ma mère, pourquoi suis-je triste alors que la guerre est finie? Pour me souvenir de toi, je chanterai « Les tilleuls de Schubert» que j'ai appris à l'école, si près de toi :

Voici le lieu tranquille,
où lorsque tombe le soir,
Loin des bruits de la ville,
j'aime à venir m'asseoir…

ADIEU, LES CHATENAY!

À la gare de Vinay, ils nous dévoraient des yeux : « Pendant près de deux années que nous vous avons gardées, tant d'événements se sont passés! Nous nous sommes habitués, comprenez-vous, les petites? Vous étiez de la famille! » Je me sentais tellement gênée que lorsqu'ils m'ont embrassée, je n'osais pas essuyer leurs larmes sur mon visage. Je voulais crier de rage mais je pleurais, consternée. Je suis triste, bouleversée, ne sachant comment penser.

Mon nez collé sur le carreau de notre compartiment, je les regarde sans dire un mot. Ils disparaissent… Nous n'avons plus besoin d'eux. À compter de cet instant, ils ne sont plus nos parents. Nous devons oublier Vatilieu. Bien installées dans le coin du wagon, nous pouvons voir le conducteur qui est près de nous. Je suis en face de ma sœur, elle regarde dehors le paysage montagneux.

Adieu, les Chatenay! Nous ne reviendrons jamais…

Cachée

Troisième Partie

L'ESPOIR.
LONG RETOUR À LA MAISON.
DÉCEPTION.

À Lyon, début 1945

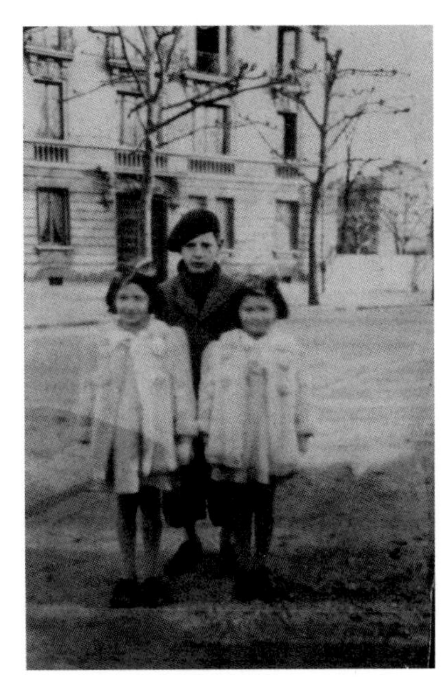

Harry Vidékis et nous à Lyon

DANS LES TRAINS

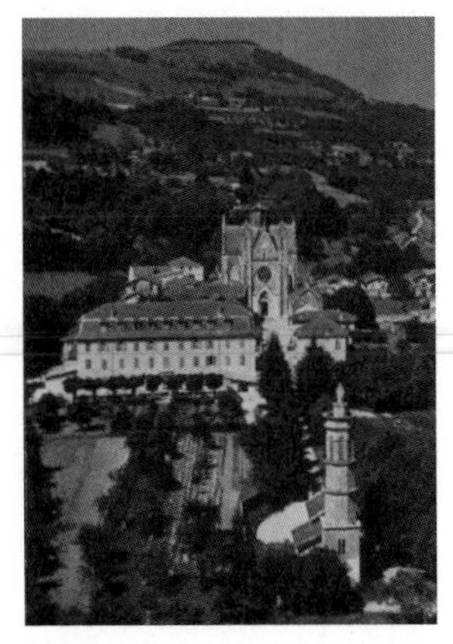

La bonne sœur nous surveille. Je n'ai pas besoin d'elle, ce n'est pas elle que j'attendais. Maman n'était pas à Vinay. Encore un empêchement : elle nous rejoindra à Lyon. Je suis déçue. Nous avons dû coucher au couvent de Notre-Dame-de-l'Osier. Le soir, j'ai refusé de me déshabiller. Nous repartons, avec Colette Evrard qui m'observe constamment et ne parle qu'à Henriette, de tout et de rien. Je me languis de mes parents.

Ce train est plein de soldats; parmi eux, j'aimerais tant voir mon père. Presque tout le monde dort. Je me sens seule. En face de nous, riant comme des fous, s'assoient deux soldats aux calots comme papa. Le premier m'arrache mon baigneur, le coince entre ses genoux, et de sa poche, sort un sou. Mais voilà qu'il le pose en l'appuyant sur le visage de mon poupon : il lui crève un œil! Je leur tourne le dos, mes yeux brouillés de larmes, pour ne pas crier de rage. Il a troué le doux visage de mon compagnon. Maintenant, on peut entendre, à l'intérieur du ventre vide, secoué tel un grelot, le bruit de son petit œil. La bande de soldats se passe mon borgne, de main en main. Je pleure en vain, car le barbare, muni d'un stylo, dessine sur le visage meurtri des sourcils et une moustache noirs, tandis qu'il répète :

«*Heil Hitler*! C'est un blessé de guerre!» Il me le rend enfin et lui fait un salut moqueur! Et ils s'en vont en riant et en se bousculant. Je serre mon mutilé de toute la force de ma peine et recroquevillée sur moi-même, je l'entoure de la chaleur de mon amour apaisant. Je m'allonge sur la banquette, un bras sous la tête.

LES RETROUVAILLES

Nous disons adieu à la micheline, ce petit train entre Vinay, la gare de Vatilieu, et Grenoble. Nous prenons une autre ligne, avec maman et Simca, que je ne connais pas. C'est un petit monsieur au regard espiègle. Il faut joindre là-bas ce train qui n'en finit pas. « Faut pas l'rater! » nous avertissent-ils. Tous les quatre, nous courons. «Allons, allons, pressons-nous!» répètent-ils.

Enfin, nous voilà montés dedans, je suis complètement essoufflée. Ça pousse de partout à la fois. Nous nous faufilons d'un wagon à l'autre : nous cherchons des places assises et de l'espace pour nos bagages. Hélas, nous devons rester debout. Heureusement que ça ne devrait pas durer longtemps.

Changement de voie : pour la première et pour la dernière fois, nous roulons dans un tramway! Il est à moitié vide et beaucoup plus lent. Puisqu'on me laisse tranquille, je m'offre une courte sieste. Tout à coup : « Tout l'monde descend! » crie le haut parleur. Tressaillant de frayeur, je me lève pour m'enfuir. Mais au bout des fils électriques du tramway, j'aperçois des étincelles qui scintillent dans le ciel! Je m'arrête. Une voix d'homme m'interpelle : « Qu'attends-tu, petite fille? » Les voitures roulent dans les deux sens. Pourvu qu'elles ne m'écrasent pas. J'ai peur de la circulation. Simca me tire le bras pour que j'aille plus vite.

Tous les hôtels sont complets et nous, chargés comme des mulets, sommes complètement découragés. Ça y est! Ici, c'est à louer! « Suivez-moi, messieurs dames! » beugle la grosse hôtelière, aux joues si rouges qu'elles font songer à des tomates. Nous grimpons les étages à la queue leu leu, sans nous arrêter. Je souffle un peu. « Il en reste deux à monter! » annonce la patronne, sans se soucier de nos bagages. Je n'en peux plus mais je continue quand même. Enfin, nous y voici. Je m'écroule de fatigue sur le premier lit de la chambre et m'endors d'épuisement.

Qui a allumé la lumière? Quelqu'un ronfle dans mon dos. Je m'assois et je découvre le pourceau qui partage mon lit torse nu. C'est Simca, il est poilu! Mais le pire, c'est que j'aperçois dans l'autre lit, dans les bras de ma maman, sa préférée tendrement enlacée. Elle a les yeux grands ouverts. « J'ai demandé la première! » affirme-t-elle narquoisement. Je suis tellement fâchée que je sors marcher dans le corridor.

À LYON, CE N'EST PAS GAI

Nous habitons chez madame Pfeiffer, en haut. Il n'y a pas grand-chose à faire. Son fils me gronde tous les jours. Je préférais chez les Chatenay. Maman travaille pour un fourreur. Durant ces heures d'attente, je m'occupe à démonter, nettoyer et remonter le vieux réveil qu'elle m'a donné à réparer. Maintenant, il fonctionne à la perfection, ce qui m'a valu des compliments! Henriette lit toute la journée, allongée sur notre lit. Elle ne joue plus avec moi et je crois savoir pourquoi. Notre jeune gardien ne s'éloigne de son bureau que pour manger et dormir, sans un sourire amical et sans un mot. Nous ne devons pas le déranger, son père a été massacré! Il faisait partie de la Résistance, comme sa mère et la nôtre. En sa présence, je sens sa douleur.

Les femmes portent le deuil et se lamentent souvent. Quand maman parle de sortir, j'essaye de la retenir. Quand elle reste, elle ne fait que pleurer. Le soir, les femmes vont aux réunions. Je ne veux pas rester à Lyon parce que je ne peux pas sortir sans être accompagnée. Il paraît que dans les rues, on vole les enfants perdus. On en a trouvé assassinés, d'autres ont été empoisonnés par des bonbons. Je tourne en rond entre les meubles de cet appartement. À

Vatilieu, je respirais mieux. Ce n'était pas l'espace qui me manquait, c'étaient mes parents. Dans les vergers, avec mon beau panier d'osier, je ramassais les plus jolis fruits sans avoir peur des hommes.

On ne dirait pas que la guerre est finie, maman rentre après minuit, trop fatiguée pour bavarder. Il n'y a pas de douche ici, pas même une bassine! Maman nous frotte, nous rince et nous essuie debout, sur la serviette, près de l'évier de la cuisine. Je regrette la douche qu'il y avait dans la maison des Chatenay. Vivement que nous partions d'ici.

Ma mère s'en va tous les matins. Heureusement qu'il y a le chat, pour me faire des câlins. Je remplis son bol de lait et je fais le guignol, on dirait que ça l'amuse! Quand je m'assois pour lire ou dessiner, ou si je suis complètement découragée, il grimpe sur la table, son museau sur mon front inconsolable, et me murmure ses ronrons.

À GENOUX

Peut-être que monsieur Pfeiffer ne serait pas mort si sa famille priait encore. Une sœur du couvent m'a appris que si j'implorais le Seigneur régulièrement, papa reviendrait. C'est pourquoi je pratique en secret. Tous les matins en mangeant mon petit déjeuner, je prie en silence. Tous les soirs, lorsque personne ne peut me voir, je recommence. Sans aucun bruit, je récite *Je vous salue Marie* en entier, car Dieu a pitié de ceux qui le méritent!

LE PETIT CHAPERON ROUGE

Je connais l'histoire par cœur! Je la raconte à mon baigneur, en pensant à papa qui la relisait plusieurs fois pour me la faire comprendre. Il sera content de m'entendre, à mon tour, lire aussi bien! Assise sur ses genoux, j'avais moins peur du loup. Nous étions au coin du salon, sur le pouf de chiffon couvert de fourrure.

Dans ma lecture, quand je hurle en montrant les dents : « C'est pour mieux te croquer mon enfant! », devinez qui j'entends? Mon père…

DES CHATS!

Maman est encore sortie et je suis réveillée par des cris aigus. Des enfants pleurent dans la rue! J'ai peur!

«Henriette! Les entends-tu?

– Qu'est-ce que tu m'embêtes! Laisse-moi finir mon livre, je n'ai plus qu'un chapitre », rouspète ma sœur, mal lunée. Et le fils Pfeiffer, lui, dort presque et ne m'écoute pas. Je monte sur le siège des toilettes et me hisse à la fenêtre : presque en face de moi, une armée de minuscules lumières se braque sur moi, prête à l'attaque! Je n'ai jamais vu tant de chats sur le rebord d'un toit. La queue en l'air et les griffes en avant, ils pourraient me sauter dessus! Je descends bien vite. Les cris reprennent comme avant! C'était donc eux qui hurlaient, se battant pour un bol de lait! Je me sauve à la cuisine, écouter la radio. La clef tourne dans la serrure, je reconnais l'accent de ma mère et de madame Pfeiffer qui murmurent. Je fonce me coucher dans le noir, rassurée de la savoir rentrée.

NOUS RETOURNERONS À PARIS!

Demain, nous serons enfin à Paris, toutes les trois, pour y recevoir papa. Maman est sortie avec madame Pfeiffer. C'est sa dernière réunion avec ses amis de la Résistance. Je meurs d'impatience mais ce n'est pas le moment de faire des bêtises. Henriette a recommencé à me parler. Nous discutons tout bas, comme avant. Il ne faut pas réveiller les gens. Je nous imagine au milieu de notre cour, chez nous, pour toujours! Nous allons reprendre Choukette, et tous les dimanches après-midi, nous jouerons à nos jeux préférés. Mon Dieu, c'est promis, si mon vœu est exaucé, plus jamais je ne me disputerai avec ma sœur! Il reste encore huit heures avant le départ…

LES SCELLÉS

Nous allons enfin rue de Charonne, à notre magasin. J'ai envie de revoir les voisins, la bonne Georgette, mais surtout pas la concierge ni monsieur Gellé! Ces derniers, je veux les oublier. Tonton Wolf nous conduit dans sa belle voiture. J'ai la poitrine gonflée d'espoir. Un officier de la Résistance vient avec nous, pour notre défense, en cas de besoin. Maman me prend sur ses genoux. J'aurais préféré rester debout, elle me serre à m'étouffer! De la voiture, je regarde tourner les manèges dans lesquels je rêve de m'asseoir.

Je reconnais le quartier, la place de la République avec sa statue de la Liberté et son jardin public où l'on se promenait avant la guerre, longeant le boulevard Voltaire. Nous passons le métro Oberkampf, le Bataclan, puis voici Saint-Ambroise. «La belle église!» dis-je machinalement. «Voyons, ne dis pas ça!» réplique ma mère avec dureté. Pour le catéchisme, c'est la même chose : nous n'avons plus le droit d'en parler. Place Voltaire, la Mairie du 11e arrondissement, les *flics* avec leurs revolvers… Tiens! La vespasienne! Je me souviens de son odeur nauséabonde.

Je prenais Choukette pour qu'elle n'y entre pas à la suite de mon père. Et là, nous roulions sur ce trottoir à vélo. Je me collais contre Henriette. Papa nous suivait avec la chienne jusqu'à la banque. Tout me revient dans la tête comme si c'était hier. Alors pourquoi cela m'inquiète-t-il? Métro Charonne! Nous tournons à droite. Serrée dans la voiture, je frissonne d'émotion : nous sommes en face de chez nous!

Immobile devant l'immense portail, je tremble de partout. Je laisse passer les autres devant moi, en bonne cadette que je suis. Je compte jusqu'à trois et m'élance dans la cour. Nous voici chez nous!

L'entrée de notre appartement est scellée d'une barre de fer, posée en travers de la porte. Le propriétaire donne des explications

mais il est visiblement ébahi de nous revoir. Piétinant sur les pavés, à l'endroit même où je m'amusais à la dînette avec Hélène, je lève la tête. Il y a des rideaux à ses fenêtres. Il ne manque que le son de son piano. Pourvu qu'elle soit là! Durant la conversation animée avec monsieur Gellé, maman tripote ses clefs. J'attends avec impatience de monter à l'appartement. J'ai hâte de rentrer chez nous, d'y retrouver tous mes jouets : mes poupées, mon épicerie, nos téléphones, le faux et les vrais. Je voudrais que mon père m'appelle d'où il est, pour de bon, et que sa voix résonne à mon oreille! Je veux ma toupie et ma voiture à pédales! Je roulerai autant que je voudrai.

J'entends des pas dans le grand escalier. La concierge, un garçon et une fille en descendent, nous dévisageant, stupéfaits! « Des revenants! Des revenants! » crie-t-elle, comme si elle appelait au secours! Maman fait volte-face et la blâme : «Ce n'est pas grâce à vous, mauvaise langue! Vous feriez mieux de ne rien dire! » Puis elle crache par terre! Je la tire par le bras parce que je ne suis pas rassurée. Je me tourne à mon tour. « Bonjour! », « Bonjour! », « Bonjour! », « Bonjour! » : les employés du bureau de monsieur

Gellé nous saluent à travers les carreaux. Un jeune homme sort de l'usine et se dirige vers le café. En nous croisant, il me fait : « Coucou! » gentiment, comme il le faisait avant. C'est Marcel, le fils du patron, qui nous accueille avec étonnement lui aussi. Qu'est-ce qu'il se faisait réprimander par son père, c'était quelque chose! Maman se retourne vers nous constatant amèrement : « Venez, mes enfants, ce n'est pas la peine d'insister contre la mauvaise volonté de M. Gellé. Nous reviendrons demain. Il faudra bien que je reprenne le boulot, s'il veut toucher son loyer! Même en collaborant, il n'a pas pu gagner l'équivalent de trois ans de loyer! » S'appuyant sur sa canne, monsieur Gellé sourit en s'éloignant. Maman me tire vers la rue. Oh, que je suis chagrinée! Nous attendons dans la voiture tonton et l'officier qui continuent de discuter avec monsieur Gellé. Mais il a la caboche dure…

Nous roulons lentement jusqu'à la place Voltaire. J'aperçois le Gaumont, à gauche, où nous allions au cinéma avec mon père, le samedi soir. Puis voici le petit square de la mairie qui nous avait été interdit. Nous continuons porte Saint-Martin, Strasbourg Saint-Denis, rue Notre-Dame de Nazareth, où nous nous arrêtons enfin au 67. Il était temps, je meurs de faim. « Je dévorerais un pain entier » me dis-je, en grimpant les escaliers jusqu'au deuxième. Vivement que tata ouvre la porte! Je vois enfin son bon sourire. L'odeur alléchante du repas relance mon appétit. On m'assoit entre Monique et Riri. Le vieux tableau campagnard se reflète dans le miroir, au-dessus de la cheminée. Sa ferme ressemble à celle de Vatilieu. Demain, nous reprendrons le même chemin qu'aujourd'hui mais en sens inverse. Cette fois, nous nous arrêterons un moment au jardin, comme les autres enfants. Chaque jour, je pense au retour de mon père, mais j'attends, j'attends, j'attends, j'attends!

CHEZ TATA SONIA

Ça sonne! Ça sonne! Tata répond au téléphone, entre les silences et les appels. Elle parle à demi-voix, mais tout à coup : « Rachel!... Rachel!... C'est pour toi!... Tu peux rentrer chez toi!... ». Cette journée commence bien. Maman préfère ne rien nous dire. Elle se lève, en évitant de nous toucher, pour ne pas nous réveiller. Je fais semblant de dormir. J'ai appris à feindre, sans que ça se voie. Demain, je dormirai chez moi, rue de Charonne. Je suis remplie de joie! On manque d'espace ici, à trois dans le lit de Riri. Lui est dans celui de Monique, encore plus petit. Pour quatre et six ans, ça suffit. Ce n'est pas le confort avec Henriette et maman, mais nous nous débrouillons.

Tous les soirs, tonton déplie le lit cage de la grand-mère et l'installe au coin de la salle à manger. Sa mère est aussi âgée que celle des Chatenay. Celle-ci parle à peine le français. Elle vit chez eux depuis que son mari a été déporté avec sa plus jeune sœur, Yvette, celle qui était si gentille avec moi, quand elle nous surveillait durant les fêtes de famille. Elle nous bourrait de gâteaux et de bonbons et m'en donnait autant que je voulais. Elle nous faisait danser « La Capucine » tous en rond et « Sur le pont d'Avignon ». Ginette, l'aînée, s'est sauvée en Suisse avec son mari. Comment aurait-on fait, s'ils étaient ici, eux aussi?

Tout le monde parle en même temps. Et dans ce vacarme, j'entends maman crier : « Les scellés sont enlevés! Je vais pouvoir travailler, gagner de l'argent! Mais avant, je dois y retourner, vérifier et signer les papiers! » Elle nous serre dans ses bras. Je vois déjà papa, hurlant de l'entrée : « Et moi? Je ne compte pas? » J'ai envie de chanter la chanson que j'avais répétée pour lui : *Petit papa, c'est aujourd'hui ta fête! Maman m'a dit que tu n'étais pas là*… mais les mots changent dans ma tête : *Maman m'a dit que tu nous reviendrais… Et jour et nuit, je t'attendais…*

Ma tante s'affaire au ménage en s'occupant de mes cousins. Ils ne sont pas sages et très coquins. Hier soir, qu'est-ce que j'ai rigolé avec Riri! Nous nous sommes bagarrés avec ses oreillers, jusqu'à ce qu'on nous force d'arrêter. Dommage que tonton soit parti avec sa voiture, on en aurait encore besoin. Il est allé peindre l'appartement d'un client. Je me souviens du papier peint qu'il avait posé dans notre chambre, rien que des roses! Je me rappelle tous les trésors qu'il y avait dans l'armoire aux énormes tiroirs : mes jouets, les habits … Je me réjouis à l'idée de coucher chez moi cette nuit.

Hiver 1944, Sonia, Riri et Monique.

IL N'Y A PLUS D'ARRESTATIONS

Les Allemands ont disparu, ce n'est pas trop tôt. On peut se promener librement dans les rues, prendre le métro, sans risquer d'être arrêté et embarqué, comme à la rafle du mois d'août. Nous y avions échappé de justesse, en changeant de côté très vite. Je me souviens du soldat qui brandissait l'écriteau « Halte-là ». Afin de prouver que je sais lire, je le fais tout haut : « Métro Strasbourg Saint-Denis! » Ça fait sourire maman. Nous descendons et nous prenons la direction Montreuil. Nous ne sommes pas les seuls à attendre la rame. Nous entrons et nous nous assoyons tranquillement.

« République »! C'est là qu'il y avait le dentiste qui portait l'étoile. Il m'avait fait si mal en m'arrachant la dent! « Oberkampf »! Il y a déjà moins d'affluence. « Saint-Ambroise »! Un regard glacial croise le mien. L'homme ressemble à quelqu'un de la milice. Je me fais toute petite contre maman qui me protège tendrement. J'annonce : « Voltaire »! À la prochaine, nous descendons! « Ne vas-tu pas te taire à la fin! » réplique Henriette, de mauvaise humeur. Je me défends, je la repousse. De quoi se mêle-t-elle? « Tu ne vois pas que tu nous casses les oreilles? » Qu'elle se taise donc la première! Je reprends de plus belle : « Charonne! » J'en prononce chaque syllabe : « CHA-RON-NE! » Têtue comme une Bretonne, disait Georgette... Henriette me regarde de travers, je m'en fiche. Je me

revois tout à coup, avant notre départ de Paris, à l'endroit où ma sœur m'avait bousculée en descendant du wagon et m'avait fait tomber sur le quai. Je n'ose pas passer la porte, alors maman revient me prendre la main. Nous suivons la foule. Je frissonne. « Sortie! C'est par ici! » dit la grande. Nous montons l'escalier et nous arrivons tout essoufflées. Nous sortons. Il fait plus chaud dehors. Nous traversons la rue, notre boutique est un peu plus loin à droite!

Je suis trop contente de rentrer chez nous. Mais nous piétinons dans la cour en attendant le retour de maman qui revient avec le propriétaire. Il ne dit même pas bonjour… Il en prend du temps pour nous ouvrir la porte! Puis il se sauve en boitant, clopin-clopant. « Qu'il aille au diable! » crie maman en rentant dans l'appartement. Je la suis, des battements plein le cœur.

RIEN, IL N'Y A PLUS RIEN

Où est le tapis de l'escalier avec ses baguettes dorées à chaque marche? Maman se perd en lamentations. Je me dégage d'une toile d'araignée. Une odeur de moisi provenant de la cuisine empeste tout le logement. « Il y a plus rien, c'est vide! » s'exclame maman, complètement blême. Il ne reste que des ordures qui puent! Oh! que je suis déçue! « Pourritures! » gémit maman, se dirigeant vers ma chambre. « Pourritures! » Rien qu'à l'entendre, je crains d'y aller. Qu'allons-nous y trouver? Le désastre. C'est un véritable désastre! C'est méconnaissable. La chambre est dévastée. Mes jambes flanchent, je vais m'évanouir... Qu'allons-nous devenir? Le papier peint est déchiré par pans entiers. Le plancher est gondolé. La porte du placard mural, où j'avais entassé mes poupées, pend lamentablement. Pas même la plus petite poupée dedans. La serrure a été arrachée, inutile de chercher plus loin. Il ne reste rien. C'est un cauchemar. Je me pince pour voir si je rêve...! Non, le malheur est devant moi. Je pleure de désarroi. Je me prends le pied dans un trou. Il y en a partout. « À croire qu'ils cherchaient des trésors! » conclut maman, hochant la tête sur notre pauvre appartement.

Nous allons de l'autre côté du palier, espérant que le salon aura été épargné. Sa porte n'a plus de clef. C'est là que je dormais avant l'arrestation de papa. Mes parents couchaient dans le *cosy*, et nous derrière le rideau, au fond. C'était si beau, c'était chez nous. Il faisait bon y vivre! Qu'est-ce qui va arriver maintenant? Où sont les meubles de notre appartement? Ce n'est plus qu'une maison funeste. Dans la pièce principale, les murs sont sales. Les planches craquent sous nos pas et maman éclate en sanglots, criant : «Bande de *salauds*! C'est incroyable! Inhabitable! » Je ne supporte pas qu'elle pleure en rabâchant : «*Oye vey iz mir… Oye, oye, oye vey iz mir…Got in himmel! Voss hostu undz gemakht*? » Recroquevillée sur elle-même, elle balance son corps, se lamentant sans fin. Je ne veux pas l'entendre, je ne veux pas comprendre.

Maman et Henriette bavardent entre elles. Encore une mauvaise nouvelle. Henriette s'est assise sur les genoux de maman. Elles se tiennent enlacées. Je les rejoins, serrant les poings. La fenêtre est entr'ouverte, j'y vais. Je regarde à travers les volets clos, sans rien dire. Le cordonnier est fermé, ainsi que le tailleur, pour la même raison que nous. Les gens passent comme si de rien n'était. Que voulez-vous que ça leur fasse? Ils ne sont pas concernés, ce n'est pas eux qu'on a cambriolés! Ils sont tous des tricheurs et des collaborateurs! Ils ont volé mes souvenirs et ils m'ont enlevé tout espoir.

Pendant qu'elles visitent l'atelier et la boutique, je descends respirer dans la cour et j'en fais le tour entier. Maman remet ses clefs à la concierge. Qu'est-ce qu'elle m'énerve celle-là, avec ses questions indiscrètes! Ce n'est pas pour rien que nous l'appelons «la pipelette»! Elle a tout fait pour qu'on nous déporte, il faut encore qu'elle aille cancaner? Maman lui donne ses recommandations. Je tourne le dos, résignée, mais l'hypocrite me crie : «Bonjour, Marguerite!» Je préfère être malpolie que de lui répondre.

Nous longeons le trottoir, nous dirigeant vers le métro. Les filles du fleuriste nous voient à travers leurs carreaux. Elles sont surprises et appellent leur père, ce collabo! C'étaient elles qui m'avaient enfermée dans les cabinets de l'école et fait tomber dans le caniveau. J'en ai encore le mauvais goût dans la bouche... Ma mère les fixe d'un regard terrible et les insulte : « Espèce de lâches! Traîtres! Demain, on réglera vos comptes! » J'ai honte devant les badauds qui se sont attroupés. Je songe à la petite chèvre de monsieur Seguin qui s'était battue jusqu'à la fin. Qu'elle était brave et courageuse! Pourquoi suis-je aussi peureuse? Nous reprenons le métro, direction Pont de Sèvres. Vivement que cette journée s'achève.

Ce soir, je prie quand même... Faites que papa revienne!

ENCORE UN COUVENT?

À notre retour, ça discute entre femmes. Nous sommes le sujet de leurs conversations. Le téléphone n'arrête pas de sonner, qu'attendent-elles pour décrocher? Personne n'a le droit de les déranger, même pas pour demander à manger. Nous devons surveiller Monique et Riri. Henriette fait semblant d'être la maman et nous obéissons à tout ce qu'elle dit. Mes pensées sont ailleurs, loin d'ici, dans un désespoir encore vague. Je prends mon baigneur et me couche sur le lit. Ma mère nous rejoint vers minuit. Elle a rempli notre valise et elle l'a placée dans le couloir. Elle s'endort sans dire bonsoir.

La sonnerie du téléphone me réveille, c'est le branle-bas dans l'appartement. Qui nous appelle d'aussi bonne heure? Pour quelle raison? J'ai peur de ce que ma mère et tata ont décidé; nous, on ne nous demande jamais notre opinion. Tata nous gave de friandises, en évitant notre regard. Quoi qu'elle fasse ou dise, ça ne m'enlève pas le cafard. Je choisis de ne rien dire. Je boude. Je préfère ne pas entendre ce qui se prépare. Je me réfugie dans la chambre, les doigts dans les oreilles. Je me doute déjà que ce sera une mauvaise nouvelle, c'est toujours pareil!

Nous prenons la voiture, toutes les trois avec tonton, aussi tristes que des animaux que l'on mène à l'abattoir. Je n'écoute pas les explications que maman tient à nous donner. Nous allons à Fontenay-aux-Roses, dans une pension, près de Paris. Qu'elle nous raconte pourquoi ne diminue pas mes soucis. Elle n'a pas d'autre solution pour le moment. Elle viendra très souvent, presque tous les dimanches. Et pour les vacances, nous rentrerons chez nous. Je ne la crois plus du tout. Elle sourit pitoyablement, ça veut dire qu'elle nous ment.

À la vue de l'immense croix, je devine qu'il s'agit d'un couvent, encore une fois. Mes tremblements recommencent. « Ne t'inquiète pas, Marguerite, les sœurs savent que vous êtes juives. Je te promets : je viendrai vous voir. » Elle sort son mouchoir. Je la regarde éperdue. Ça continue! Ce n'était pas la peine de nous faire déchirer les pages du catéchisme pour nous renvoyer au catholicisme!

Maman et tonton nous embrassent en vitesse car la messe va commencer. Ils répètent : « On se reverra bientôt! » Je ne peux pas contrôler mes sanglots, mais pour les vexer, je récite le *Notre père* devant la sœur. Maman pleure, tonton s'essuie les yeux et la Mère supérieure dit « Amen! » Puis elle nous conduit comme des orphelines vers l'encens et la discipline...

LA COQUELUCHE

Je ne peux pas garder mon baigneur dans mon lit parce que les autres enfants pourraient être jalouses. Je ne me sens pas bien mais personne ne comprend ma langueur. Depuis quelques jours, je vis à l'infirmerie, comme ma sœur, qui est très malade. Il se trouve que j'ai attrapé la coqueluche, moi aussi. Je tousse sans trêve, j'ai eu beaucoup de fièvre. Cette maladie est contagieuse, alors je suis isolée et on me surveille jour et nuit. Henriette est si malade qu'elle a dû être transportée à l'hôpital. Elle vomissait du sang et sa figure était brûlante! Si elle savait à quel point elle me manque, elle ferait peut-être un effort pour revenir. Je l'aiderais à guérir… Mais si elle mourait, me le dirait-on? Je me sens terriblement seule et je m'ennuie.

Maman n'est pas venue dimanche dernier, elle m'a déjà oubliée. Et si papa était rentré à la maison pour travailler sans être dérangé? Et s'il prenait son petit déjeuner, avec maman à son côté, partageant la tasse de café et les croissants? En cette journée ensoleillée, je me sens complètement abandonnée. J'écoute le silence du vide et je ressens toute cette absence.

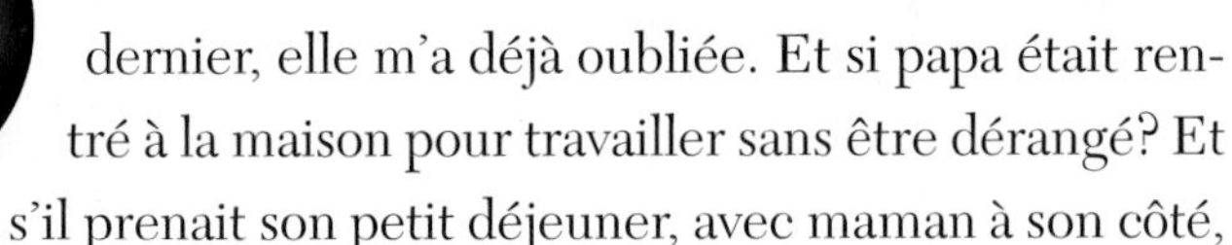

Je voudrais m'envoler par la fenêtre et retourner chez les Chatenay. À Vatilieu, je serais mieux qu'ici.

MONSIEUR ELIAS EST AU PARLOIR

« Un monsieur Elias est au parloir! hurle le haut-parleur du couloir, on demande Marguerite Elias! Marguerite Elias est attendue au parloir! » répète l'annonceur, et ça fait « boum » dans mon cœur. Toute la classe écoute. Toute la classe sait qu'il s'agit de moi. Toute la classe, sauf moi, clouée sur place. «C'est pas ton nom?» interroge la maîtresse. J'ai perdu la page du livre, je flotte vers un rêve inaccessible, serait-ce possible? J'ai fait tant de prières pour retrouver mon papa! Si mon souhait était exaucé, Dieu m'aurait récompensée!

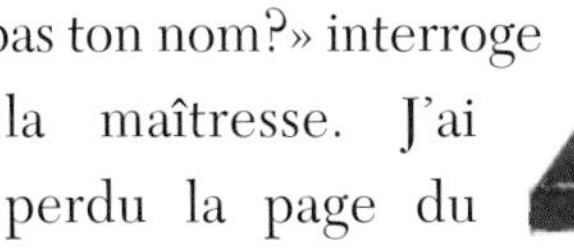

« Alors, ne veux-tu pas aller le voir? » s'enquiert la sœur étonnée. Je reste assise sur mon siège, tous les yeux sont braqués sur moi, mal à l'aise, perdue dans mon émotion. Quoi dire, quoi faire? « Marguerite Elias est attendue au parloir! » J'ai de la peine à le croire. Le bruit autour de moi augmente, on m'enlève mon tablier. « Reviens sur terre! » crie la sœur, impatiente. Elle me secoue de ma somnolence et me tire par la main.

Craintivement, j'avance. « Courage petite! » Mes larmes commencent à couler à la porte du bureau. J'entre, mais je m'arrête aussitôt : « Non! Non! C'est pas papa, c'est tonton! Ils m'ont trompée! » Je suis déconcertée. « Tu ne me reconnais pas? » implore Léon, en me tendant les bras, qu'est-ce que tu as grandi! » Il m'enlace et m'embrasse tendrement sur les joues. Puis il me prend sur ses genoux en murmurant :

« Viens, je vais te raconter. J'ai été prisonnier, je rentre de captivité, j'ai rencontré ta maman à l'hôpital où j'ai vu Henriette. Ça va très mal. On lui fait des transfusions de sang. Elle dort sous une tente à oxygène. Ça fait de la peine à voir. Ta mère ne viendra pas aujourd'hui, mais la semaine prochaine, probablement. Elle m'a donné ce paquet pour toi. Tante Rose t'envoie toutes ces choses, regarde : une tablette de chocolat et des petits beurres *LU*. En veux-tu un?

– Non, c'est papa que je veux, il n'a pas tenu sa promesse… Lui seul peut me consoler, toi, tu me fais pleurer, tu vois? Tu ne comprends pas! Personne ne me comprend. Je n'aime plus personne! »

La Mère supérieure lui suggère de s'en aller. Il a l'air désolé et moi je suis sous le choc. « Tout le monde me trompe! Tous des menteurs… Il n'y a même pas de Seigneur. » Je sanglote. « Ayez pitié de son âme! » dit la sœur, levant les yeux au ciel. Elle m'emmène avec elle, m'allonge sur mon lit, s'agenouille et prie. Puis, elle me demande :

« Que puis-je faire pour obtenir un tout petit sourire?

– Me rendre mon baigneur qu'on m'a confisqué.

– C'est chose faite, je vais te l'apporter, si tu te calmes. »

Elle s'en va, et quelques minutes plus tard, elle est là, avec ma poupée. « Tu vois, ce n'est pas difficile d'être gentille! Prends soin de ton trésor, mon enfant, et dors : un petit somme te fera grand bien. » La cloche sonne l'heure d'aller à la cantine. Serrant mon seul lien avec mon papa sur ma poitrine, je m'assoupis malgré ma peine. J'ai été cruelle avec tonton, je ne lui ai même pas dit merci.

J'entends le tonnerre au loin, il s'éloigne et tonne de plus en plus doucement. Un ronflement de machine à coudre me rappelle le bruit que faisait la machine de maman.

MA DERNIÈRE PRIÈRE

Henriette est sortie de l'hôpital et moi, je vais beaucoup mieux. Merci, mon Dieu : finis les couvents! Avant que l'école recommence, nous partirons en vacances à la campagne, pour un mois. Il faut que nous gagnions du poids! Et à la fin de cette saison, nous reviendrons à la maison. Quant aux prières… « Pardonnez-moi, mon Père, mais je ne dois plus en faire! La guerre est terminée, je suis juive, vous comprenez? Il ne manque plus que papa. C'est pourquoi, pour la dernière fois, je vous supplie à genoux : rendez-le-moi! Puisque vous pouvez tout, faites qu'il revienne chez nous et que plus jamais on me le reprenne! Adieu, Notre Père qui êtes aux cieux, je vais enfin quitter ce couvent. Vous m'avez presque rendu ma mère, n'oubliez pas mon papa, c'est ma dernière prière.»

ENCORE UNE ROBE DE LA GRANDE

Depuis bientôt trois ans que l'on vit séparées de notre mère, elle s'occupe mal de nos vêtements qui sont sales et abîmés. J'ai beau me plaindre, rien ne change! Quand ils sont trop petits, je les porte quand même. J'hérite de ceux d'Henriette, avec les trous et les taches. Ça ne sert à rien de discuter. Henriette m'explique d'où viennent les taches mais ne les fait pas disparaître! Des neufs, on lui en achète pour les fêtes ou la rentrée des classes. Je n'ai pas droit à ces cadeaux, moi! Et lorsqu'on en reçoit des usagés, elle les enfile avant moi et me nargue. Les vieux, on me les passe. Heureusement que mes pieds sont plus grands et plus intelligents que les siens, ils n'entrent pas dans ses souliers, pas plus que mes mains dans ses gants! Lorsqu'on m'en prête ou qu'on m'en donne, je fais attention à ce qu'ils restent en bon état. Je n'abîme pas mes affaires, moi, je les protège.

À QUARRÉ-LES-TOMBES

Rien que le nom me fait froid dans le dos, c'est pourtant l'endroit où nous allons. Quel genre de gens habitent Quarré-les-Tombes? Nous le saurons tantôt. Les sièges de l'autocar sont occupés par des enfants au teint blême, entre huit et quatorze ans. Il y a plein de garçons. Une dame nous accompagne, assise près du conducteur. Nous traversons la campagne, au milieu des arbres et des fleurs. Henriette dort sur nos bagages; elle n'a pas avalé son déjeuner, ce qui ne va pas améliorer sa santé.

Arrivés au village, une foule de gens nous y attend. Je respire un grand coup et je descends, encadrée de gamins. Tous se sont bien conduits. Des spectateurs nous regardent, attendris, pendant qu'on nous aligne par ordre de grandeur. Je m'approche le plus possible de ma sœur pour que l'on soit ensemble. Par trois fois, je refuse de me joindre à des familles qui désirent me séparer de l'aînée. La file diminue vite, personne ne nous invite ensemble. Les heureux gagnants s'assemblent, puis s'éparpillent. Chacun suit sa famille d'accueil. Notre accompagnatrice me fait un clin d'œil complice pour me rassurer, car j'ai de quoi m'inquiéter maintenant que nous sommes les dernières. Vont-ils nous renvoyer d'où l'on vient?

La bonne dame revient, et sans autre explication, elle nous entraîne vers une maison. Devant la porte, elle frappe très fort! Les gens mettent du temps à nous ouvrir. Finalement, c'est avec le sourire qu'on nous reçoit, mais je n'en crois pas mes yeux, tellement ce couple est vieux! « Ce sont les doyens du village! Il faudra être très obéissantes! » nous précise-t-elle. Et le grand-père de grommeler : « Grâce à mon âge, j'ai eu l'honneur et le plaisir de sonner les cloches à la libération des Boches! » Je pousse un soupir de soulagement : il déteste les Allemands. Sa femme ajoute : « Tout finit par s'arranger, il ne faut jamais se laisser abattre! » Malheureusement, ils sont durs d'oreille, nous devons hurler pour qu'ils comprennent! Ils ne peuvent pas entendre qu'Henriette tousse encore. Mais ils paraissent si gentils, si complaisants, que nous les adoptons sur-le-champ!

Ils ont trois lapins dans le clapier de leur jardin. Il y a des poules et des poussins ainsi qu'une oie; je les nourris tous en leur criant : « Petits! Petits! Petits! Petits! » comme je faisais chez les Chatenay. La situation n'a pas vraiment changé, nous sommes avec des inconnus. Pour notre prochain repas, nous allons nous offrir un civet de lapin! Hélas! Au moment de le tuer, je n'ai plus envie de le manger. Le gros tortille son museau. Le blanc a les poils de mon manteau. Et le gris est si petit. «Ce sera celui-ci, avec du bon blanc, c'est délicieux! » décide grand-père, l'empoignant derrière son cou. Le pauvre gigote tant qu'il peut. Je le caresse dans le bon sens, comme il se doit. J'aperçois le marteau dans la main du vieil homme. Il prend le lapin et l'assomme! Je me sauve, loin de là, avant que la cuisinière l'achève de son couteau.

Monsieur le Maire nous a reçues en personne et nous a fait comprendre que nous ne sommes pas chez n'importe qui! Ne sachant plus quoi répondre, je ne fais que des grimaces. Henriette lit presque à longueur de journée, tantôt assise, souvent couchée. Il y a peu de divertissements mais c'est mieux qu'à la pension. Lorsqu'il pleut, nous jouons aux dominos, s'il fait beau, à saute-mouton ou à la corde. Une chose est sûre : nous évitons de nous disputer.

La grande met la table et je la débarrasse. Elle lave la vaisselle et je l'essuie soigneusement. Mais quand arrive le soir, je commence à avoir le cafard. En respirant l'odeur de la couverture, je gonfle ma poitrine de bonheur. Maintenant, j'aime sentir la naphtaline qui protégeait nos fourrures des mites. Durant la nuit, je rêve que mes parents sont à la maison, qu'ils sont sans le sou et que, comme dans *Le Petit Poucet*, ils nous abandonnent dans la forêt. Je me réveille en sursaut et me recouche malgré tout. À force de mentir, j'ai du mal à trouver le sommeil. Tout se mélange dans ma tête, des visions étranges m'embêtent et me chagrinent : maman courbée sur sa machine, dans son nuage de fumée. Papa pleurant je ne sais où, ni depuis quand. Ils sont partout et nulle part, j'ai tant besoin de les retrouver!

NOUS RENTRONS ENFIN CHEZ NOUS

Je suis contente! Nous rentrons pour de bon, avec ma tante, dans la voiture de tonton. Sonia nous explique pourquoi maman n'est pas là : « La morte saison est terminée, le travail a recommencé, l'argent va rentrer comme avant! » En attendant, ils nous ont offert un pyjama neuf, à toutes les deux pour une fois! Le mien est le plus beau parce qu'il est bleu.

Tonton Wolf a enlevé ce qui restait du papier peint déchiré dans notre chambre. Il en posera un nouveau en décembre, pour mon anniversaire. Il fera tout pour me plaire! Le lit n'est pas confortable, il n'y a pas de matelas, juste des lattes de bois dans le sens de la longueur, entre la tête et le pied du lit. Nous n'avons ni chaises, ni table. Ce n'est pas drôle de manger debout mais c'est mieux que de s'asseoir sur les misérables caisses. Pas de miroir pour me coiffer, je dois me regarder dans le carreau de la fenêtre ouverte. Pas même de rideau, pour nous protéger de la curiosité de la concierge. Maman a perdu tout espoir. Vêtue de noir, mince comme une asperge, elle dort dans un fauteuil que quelqu'un lui a prêté. Elle n'est quand même pas en deuil?

Contrairement à ce qui a été prévu, à la fin de l'été, nous ne resterons pas ici. Je suis de plus en plus déçue. Maman avait beau casser un verre tous les jours en souhaitant le retour de mon père, il n'est pas revenu, c'est décourageant. Mes prières n'ont rien donné non plus. Elle a récupéré une vieille machine à fourrure. Elle a repris nos couverts argentés et les deux cadres bourrés de papiers qu'elle avait confiés à madame Graziani. Ceux-là sont de nouveau accrochés aux murs du salon. Ma sœur ne joue plus de son violon. Maman pleure en cousant à la machine. Je me demande à quoi elle pense. Elle nous emmène rue Vieille-du-Temple, il y a surtout des femmes et des enfants. L'un d'eux, donnant le bon exemple, se présente poliment : « Je m'appelle René Goldman, et vous, comment vous appelez-vous?» Sans parent du tout, il a l'air plus perdu que nous. En partant, il nous crie : « À la prochaine réunion! » Je lui souris et nous voilà inscrites pour aller je ne sais où.

CE N'EST PAS VRAI

Ce n'est pas vrai, mon père n'a pas été EXTERMINÉ au camp de concentration d'Auschwitz, ça ne veut rien dire! Il a disparu. Il va revenir bientôt. Je le guette, penchée à la fenêtre. C'est une fausse lettre, aussi fausse qu'ont pu l'être nos actes de baptême! Il est sûrement prisonnier quelque part. Ce ne sont que des mensonges.

Peut-être qu'il s'est réfugié en Lituanie où il vivait avant de venir à Paris, avec nos grands-mères, les grands-pères, les oncles, les tantes et tous nos cousins. Ce n'est pas ce qui nous manque, il y en a des tas, maman en a parlé si souvent. Je me souviens des photos que papa étalait sur son bureau. La sienne me regarde et je lui dis que je l'attends. Je l'attendrai tout le temps...

Henriette en est malade, clouée sur son lit. Je promène ma douleur d'un bout à l'autre de l'appartement vide, serrant mon baigneur que papa m'avait offert au début de la guerre. Ma mère ne croit plus aux porte-bonheur, c'est fini. Elle travaille en gémissant et en répétant qu'il n'y a plus d'espoir. Elle a oublié sa promesse et veut se débarrasser de nous. Sa fumée remplit la pièce, elle en avale beaucoup. Elle dit qu'en attendant que ça aille mieux, elle nous envoie dans un endroit qui s'appelle Andrésy, pour la rentrée de l'école. J'ai peur qu'elle ne soit folle pour de bon car elle nous bourre de sucreries. Nous irons dans une maison d'enfants de déportés, pour orphelins! Elle ne comprend donc rien, ma maman! Je ne suis pas une orpheline, moi. Je n'ai pas besoin d'air frais, j'ai besoin d'elle et d'être là quand papa reviendra.

J'en ai gros sur le cœur. Nous nous en allons bientôt. Peu m'importe où nous irons, si mes parents n'y sont pas. Rien ne peut être mieux que la maison. À quoi ça sert d'avoir promis? Mes larmes coulent sur mon visage. Tonton emporte nos valises et je sors à mon tour, admirant notre vieille maison, en marchant à reculons.

Je pleurerai jusqu'à son retour et le mien… Je viens, je viens, je viens, JE VIENS!

ANDRÉSY

Nous habitons le Manoir Denouval, à Andrésy, dans un joli château. L'endroit est parfait s'il fallait se cacher de nouveau. L'intérieur est si compliqué que j'ai mis du temps à m'y retrouver. En fouinant, avec des copines de la chambre, nous avons découvert une pièce remplie de jouets! Heureusement que nous ne nous sommes pas fait prendre, et que nous savons garder nos secrets… Pour éviter qu'on nous entende, toute la bande étouffait ses rires dans ses mains… Nous y retournerons peut-être plus tard, car nous brûlons d'envie de mettre notre nez dans les paquets. En attendant, je dois garder le secret.

Au centre du manoir se trouve l'immense salle où l'on s'installe pour faire nos devoirs, manger et écouter les discours des moniteurs ou des invités. Samedi soir, tout le monde s'arrange convenablement. Après le souper, les grands poussent les tables sur le côté et les bancs en avant. On s'assoit dessus ou par terre, le froid ne nous effraye pas, on se serre pour se réchauffer, en chantant des chants révolutionnaires : *Ne craignons pas le poids des pierres, ne craignons pas la dureté du sol…*, celui des partisans *Par le froid et la famine, dans les villes et dans les champs…*, et l'autre, celui que je préfère : *Tout là-haut sur la colline, son parfum s'envole au vent, il est mort l'ami Lénine, mais son nom reste vivant…* J'aime également : *Brave soldat revient de guerre, tout doux…* Ça me rappelle mon père. J'ai un faible pour les chansons tristes, j'en connais tellement. Nous chantons avant tous les repas : *Autour d'une table, entre bons amis, qu'il est agréable d'être réunis*, et à la fin de ceux-ci : *Merci de votre compagnie, pour cette table bien garnie*. C'est plus joyeux que les prières des couvents, nos voix résonnent avec force.

SUR LA ROUTE DE L'ÉCOLE

Il faut se lever tôt le matin pour aller à l'école. Trois par trois, nous traversons le jardin, tous ensemble. On peut nous entendre hurler à des kilomètres à la ronde : *Ma blonde, entends-tu dans la ville*? Nous crions même en yiddish : « *Mir kumen on! Mir kumen on!* » (Nous arrivons! nous arrivons!) Nous longeons le fleuve, admirant les péniches au passage. Même quand il pleut, nous chantons : *Le ciel est bleu*…, et quand nous sommes fatigués : *Sur les monts tout puissants*… Cette chanson a un rythme plus lent. Les grands ne ralentissent pas leur marche pour les petits. Je dois courir pour arriver avant que la cloche ne sonne! Je suis si épuisée

que, durant la classe, je dors à moitié, ignorant tout ce qui s'y passe. Lorsque la maîtresse me pose des questions, je n'ai jamais la réponse. J'ai du retard dans mon travail. Henriette ne vient presque pas me voir et encore moins m'aider. Je fais les devoirs seule, dans mon coin. J'ai toujours hâte que la journée prenne fin car je ne suis plus une bonne élève. Je voudrais rester allongée sur mon lit, toute la journée, mais je sais que c'est interdit.

Jeudi, j'ai aperçu ma sœur dans les bras de « Poil-de-Carotte » : tous deux se faisaient les yeux doux et se donnaient des baisers sur les joues. Elle s'occupe d'un garçon au lieu de faire son travail… Je n'ai pas vu maman depuis très longtemps, ça recommence à m'inquiéter.

MAMAN EST LÀ!

C'est dimanche, chic alors! Et il fait soleil! Nous allons pique-niquer avec maman, au bord de l'eau! Elle a pris l'appareil photo... Nous grignotons ses friandises assises sur une couverture. Quand elle nous a parlé du bon monsieur qui l'aide à l'atelier, un musicien, qui a été prisonnier de guerre, je n'ai pas pu retenir ma langue : « Et papa alors? » Elle m'a répondu qu'il était mort. Ça m'a fâchée. La semaine prochaine, elle va nous le présenter, il s'appelle Ary. Elle lui aurait dit que ses filles étaient bien élevées et très agréables! Il va falloir le lui prouver... Lorsqu'elle nous quitte, après nous avoir couvertes de ses bises mouillées, je suis si triste que j'enrage! Je la méprise! J'engouffre ma moitié du gâteau au fromage qu'elle nous a laissé nous partager, quitte à en attraper une indigestion. Ce sera sa punition. Quand je souffre, j'ai faim! J'ai rendu tout ce que j'avais mangé. Mon estomac est malade. Maman s'est trouvé quelqu'un pour remplacer papa! Maintenant, elle n'a plus besoin de nous, c'est tout ce que je retiens.

Photo prise en juin 1946 à Andrésy.

C'EST MON ANNIVERSAIRE, J'AI NEUF ANS!

Les enfants de mon âge sont réunis dans notre chambre dont on a fait le ménage et poussé les lits. Ils m'encerclent et chantent en mon honneur! *Joyeux anniversaire, nos vœux les plus sincères...* J'en suis très fière! C'est à moi que la cuisinière a remis deux assiettes, l'une remplie de bonbons et l'autre de gâteaux secs. Je les distribue autour de moi. Gonflée d'orgueil et de joie, j'avance lentement, les mains chargées et vlan! au moment de compléter ma ronde, ma culotte tombe à terre! Je suis debout, les fesses nues! Les enfants rient aux éclats et se moquent de moi. On me débarrasse des sucreries que l'on partage à ma place. Je les déteste! Simone, la monitrice, me rhabille, rattachant mon oripeau à l'aide de l'irremplaçable épingle à nourrice. Et moi, pauvre bécasse, jambes croisées sous mon postérieur recouvert, je pleure mon bonheur volé.

« Voyons, Marguerite! Où est la grande fille qui a neuf ans aujourd'hui? » supplie la jeune femme. Que veut-elle que je lui réponde? Je me sens profondément humiliée. C'est alors que Nicole me tend sa vieille balle toute sale que Frédo, son frère, avait trouvée et la tour Eiffel miniature que Sammy, l'aîné, lui avait donnée : « Tiens, c'est pour toi! » dit-elle en m'embrassant si fort que je sens encore son étreinte. Et tout le monde en fait autant. Je me surprends à crier : « Merci! », me réjouissant moi aussi. Paraît-il que je ne suis pas la première à qui cet incident est arrivé. Mais le jour de mon anniversaire, c'est un comble! Dorénavant, attention! Je vérifie les élastiques!

LES AMYGDALES ET LES VÉGÉTATIONS

« Ceux qui attrapent régulièrement la grippe se feront opérer par le docteur Pierre » explique l'infirmière, ajoutant qu'il est très gentil. Nous coucherons une semaine à l'infirmerie durant laquelle je devrai rester au lit. Quelle aubaine!

Le matin du grand jour, mon cœur bat la chamade, mais ce n'est pas de joie. On ne nous donne rien à manger car nous devons rester à jeun pour éviter de vomir après l'opération. J'attends mon tour avec inquiétude. Ce sera la première fois que je couche près des garçons. Ils reviennent en caleçon, les yeux écarquillés. L'infirmière leur enfile leurs pyjamas comme s'ils étaient des bébés.

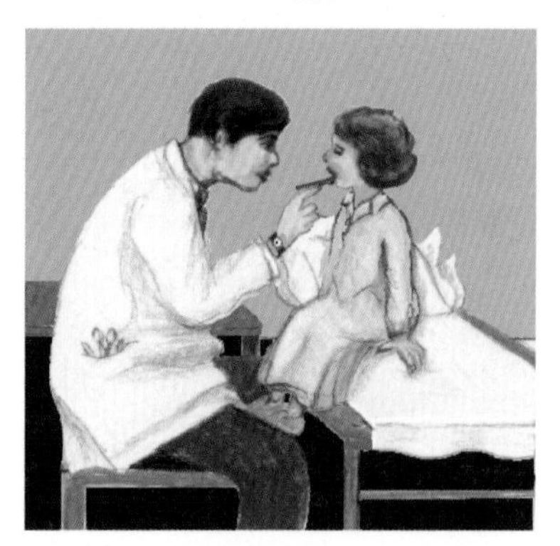

« Marguerite Elias! » crie une voix grave, de la pièce à côté. « C'est moi! » Soudain moins brave, j'y vais, tremblant d'effroi. La doctoresse me place le masque d'éther sur la figure et me demande de compter dans ma tête pendant que le docteur me fait sa piqûre, sans arrêter de parler. Je ne comprends plus ce qu'il dit, le sommeil s'empare de moi.

Je me réveille, hurlant de douleur autant que de frayeur; j'ai si mal! On me fait inhaler de nouveau cette désagréable odeur. Il a fallu me rendormir après les amygdales pour m'enlever les végétations. Je ne sais pas comment je me suis retrouvée couchée dans ce lit. Mon voisin va dans la même classe que moi, mais un niveau au-dessus. Il a de la chance, lui, il ne souffre que du nez. Pour moi, le pire c'est d'avaler, je peux à peine boire, je rends du sang. On me donne plein de glaçons à sucer et il n'est pas question de manger. De toute façon, je n'ai pas faim. Par contre, Lucien n'en a jamais assez, il prend ma part, le gourmand. En échange, il me promet sa crème au chocolat. Il me raconte des bêtises sur le catéchisme. Je dois me retenir de rire, quel supplice! Alors, il me lit *Le Bon Petit Diable* que l'on m'a prêté : c'est triste à en pleurer. La doctoresse prend notre température entre les fesses, déclamant que nous avons tous la même figure de ce côté-là! Maintenant que nous allons mieux, nous nous faisons gronder parce que nous faisons du bruit, tard dans la nuit… À partir de demain, ce sera terminé, nous allons retourner chacun dans son dortoir. Autant vous dire que nous en profitons ce soir…

Quand maman est venue avec son ami Ary Kaufman, Tamara, la monitrice, lui a dit que j'avais été courageuse. Ary m'a offert un livre d'images, comme si je ne savais pas lire, et il m'a fallu dire merci. Ma mère attend un enfant pour le mois de juillet, et moi, alors, est-ce je compte pour quelque chose? Et qu'est-ce que ça peut me faire que monsieur soit musicien et qu'ils aient changé d'appartement, si je ne vis pas avec eux?

Henriette est fière qu'Ary la fasse répéter dans la chorale du manoir de Denouval. Elle chantera «Le rossignol de l'empereur de Chine»! Je fais des illustrations pour cette chanson. Ary joue de l'orgue et du piano dans la grande salle. Je me demande pourquoi je dois l'écouter, puisqu'il dit que je n'ai pas d'oreille! Sans papa, je ne me sens pas protégée…

LES AMÉRICAINS

Simone contrôle notre habillement et nous coiffe de rubans pour l'arrivée des Américains. Il ne faudrait pas les décevoir! Nous les accueillons remplis d'espoir. À ceux qui n'ont plus de famille, ils distribuent des cadeaux. Ce n'est pas pour rien que nous nous égosillons à leur souhaiter la bienvenue, même si on dit que je chante faux. Des femmes ornées de bijoux m'ont embrassée. Durant tout l'après-midi, on ne m'a presque rien dit, à part demander mon prénom et me répondre qu'il est adorable. Ces Américains pourraient prendre des enfants qui sont inscrits sur une liste, ce qui m'afflige, car il y aurait de mes amis qui partiraient en Amérique. Je m'ennuie! Pourtant ma mère m'avait promis qu'elle ne me laisserait pas ici. À la fin de la journée, le photographe nous a fait poser. À contrecœur, j'ai dû prêter ma poupée à Madie. Je suis en haut, les pieds sur le banc et le photographe s'écrie : «Faites-moi risette!» pour que le cliché soit réussi.

MARC CHAGALL

Aujourd'hui, nous recevons des visiteurs importants. Tout le monde en est heureux car on nous prépare un excellent dîner. On a décoré la salle à manger. Pour mieux souhaiter la bienvenue aux invités, nous entonnons à tue-tête : *Nous aimons la vie, nous aimons l'amour, nous aimons la nuit, le jour…*, et la fête commence. Après la conférence, nous nous installons à nos places habituelles. Les tables sont plus belles couvertes de draps blancs. J'attends impatiemment ce repas de midi, ses odeurs m'ont ouvert l'appétit. La plus petite fille offre des fleurs à notre invité d'honneur, le peintre Marc Chagall!

Avant de déguster le festin qui nous attend et en guise de prière de remerciement, nous chantons : *Autour d'une table entre bons amis, qu'il est agréable d'être réunis*. Et après : *Merci de votre compagnie, pour cette table bien garnie*. Puis, les grands débarrassent et poussent les tables, les moyens alignent les bancs et

les petits, dont je fais partie, s'assoient les premiers sur le plancher. On félicite les camarades pour leurs efforts, et trois messieurs racontent des blagues. J'adore celle du menteur et de l'automate : quand le père dit à son fils : « Lorsque j'avais ton âge, j'étais le plus sage et premier à l'école! », l'automate le frappe! Les claques volent! Chaque fois qu'il ne dit pas la vérité, il se fait attraper! Et l'assemblée éclate de rire, et applaudit à tout rompre. Le spectacle terminé, nous allons sur le perron nous faire encore photographier. Et, sur l'air de : *Si tous les enfants du monde*, nous formons la ronde, pour chanter main dans la main le chant des adieux : *Ce n'est qu'un au revoir mes frères… oui, nous nous reverrons mes frères…* Mais dans ma tête, en vain, j'espère et me répète : *Ce n'était qu'un au revoir mon père… oui papa, on se reverra.*

L'ACCIDENT DE MAXIME

Alors que nous faisons nos devoirs dans la grande salle du château, un « BOUM! » nous fait sursauter. Telle une pierre tombée du ciel, dans un fracas de verre cassé, Maxime est tombé de l'étage supérieur dans notre pièce. Il a fait un trou dans le plafond! Tout le monde se lève en catastrophe. Puis craintivement, nous nous approchons. Chaussé de patins à roulettes, commençant à saigner, il répète : « Maman! Maman! » oubliant qu'il n'en a plus.

Tandis qu'à l'étage, on s'affaire à réparer le trou du plancher vitré, nous formons un cercle autour de Maxime et le regardons bouche bée. Sa douleur semble insupportable! La doctoresse arrive à grands pas pour lui porter secours. Tamara est formidable! Elle le caresse et le soutient. Un moniteur vient. Gilbert arrive, lui aussi, ses patins maudits à la main. « Va-t-il mourir? » demande-t-il en larmes. Hélas! Les moniteurs ont des choses à lui dire : « Malheureux! Vous saviez tous les deux que c'est interdit de faire du patin dans les chambres! Surtout dans celle-là! Que ça vous serve de leçon!» Sans l'appui de son ami Maxime, le pauvre Gilbert est démuni, penaud, et ne peut trouver les mots pour se défendre. «Tu ne perds rien pour attendre!» lui dit-on sévèrement. Dans un silence de mort, on nous a fait sortir. Finalement, l'ambulance arrive avec bruit. On nous pousse de côté. Les ambulanciers entrent par la grande porte avec leur brancard. Cinq minutes plus tard, ils sortent notre camarade et pour nous, c'est la débandade!

Toute une leçon, pour les deux garçons.

MON CHÂTEAU EN CHOCOLAT

Depuis quelque temps, ma sœur paraît de bonne humeur. Chaque fois que nous recevons un morceau de chocolat à quatre heures, Henriette s'assoit sur mon banc quelques minutes. J'apprécie qu'elle vienne me voir, je m'en fais une fête. Elle me chuchote ce qu'elle veut au creux de l'oreille et je vois mes amies Madie et Charlotte qui parlent entre elles aussi. Puis, Henriette s'approche tout contre moi et je glisse ma barre de chocolat dans sa poche. Ensuite, l'air de rien, elle retourne à sa place, entre ses voisines, qui bavardent encore tout en m'observant du coin de l'œil. Je les regarde avec défiance. Henriette va me mettre mes barres de chocolat de côté, près de celles que je lui ai déjà confiées. Je me contente du pain sec et ma faim est satisfaite.

Ma tête enfouie sous les couvertures, je vois s'empiler mes barres de chocolat comme les briques d'un mur, de plus en plus haut. Mon projet est de construire un château en chocolat! Quand nous rentrerons chez nous, la chambre sera remplie de chocolat, il y en aura partout! J'en ai tellement envie que je suce un vieux bonbon et m'endors, pour de bon, le sucré dans la bouche, le chocolaté dans mes pensées.

Mais la sainte-nitouche s'est moquée de moi, encore une fois : « C'est une combine pour offrir du chocolat à ses amies! » m'a rapporté une fille de son dortoir, agacée de voir Henriette donner le chocolat à ses copines. Je me sens démunie et tellement bête. Même si je le répète à maman, je n'aurai jamais plus mes barres!

Mon délicieux château s'écroule devant mes yeux, je suis ravagée. Maintenant que je lui refuse mon chocolat, elle me néglige complètement. Mais elle n'abuse plus de ma crédulité, car je ne lui fais plus confiance.

JE VEUX MA CHAMBRE

Je veux ma chambre à moi toute seule, chez nous à Paris, avec Choukette au pied de mon lit. Je veux que tout ça soit fini. Je veux que papa revienne et m'emmène avec lui. Je veux retrouver mes jouets, tout ce qui m'appartenait, tout ce que l'on m'a pris et que l'on m'a promis depuis trop longtemps. Je veux mes parents, les deux ensemble! Je veux rentrer définitivement. Voilà ce que je veux, *Nom de Dieu*! M'avez-vous comprise? Si oui, montrez-le-moi et je croirai en vous! Je ne pense plus qu'au retour. Le bébé doit naître bientôt, maman nous l'écrira peut-être, pour une fois… Elle est d'accord sur mon choix de nom : le deuxième prénom sera Daniel, quel que soit son genre. Si c'est une fille, elle ajoutera «le». Mais je préfère un garçon, j'ai assez d'une sœur.

Benoît Daniel est né le 21 juillet 1946, maman et Ary sont fiers de leur fils.

TARNOS

Pour les grandes vacances, nous allons en colonie sanitaire à Tarnos, dans les Landes. Maman nous a fait parvenir des espadrilles, des shorts et autres vêtements d'été, comme si elle était morte pour ses deux filles. Nous avons bourré nos valises, y ajoutant aussi toutes les friandises qu'elle a fait envoyer. Dans le train, j'entends quelqu'un hurler : «*Heil Hitler*! Le cochon est mort!» Je regarde dehors, à travers la fenêtre : des prisonniers allemands avancent en se tenant les mains sur la tête! Maintenant, papa peut revenir, j'ai retrouvé le sourire.

Il paraît qu'on n'a jamais rien vu de semblable par ici : un incendie épouvantable a brûlé une bonne partie de la forêt des Landes. Tout le monde participait à la grande chaîne, les uns avec leurs seaux, les autres avec leurs brocs. Nous, c'était des casseroles pleines d'eau que l'on se passait de main en main. Les pompiers arrosaient en vain avec leurs tuyaux. La colonie préparait des casse-croûte pour les gens qui aidaient à combattre le feu. Ils semblaient tous aussi gentils que des amis… Nous avons fini par l'éteindre, après des jours d'efforts. Notre ciel bleu est revenu avec son soleil et… la fin de l'été. J'ai quand même réussi à être championne de pichenette! Je lançais le couteau du dessus de ma tête, juste comme il faut, gagnant contre des joueurs plus expérimentés. J'en ai battu, des records!

JE RENTRE À LA CITÉ VOLTAIRE

Monsieur Ary nous attend sur le quai, où est maman? J'imaginais un accueil différent, mais je fais comme si c'était parfait, du moment que nous rentrons rue de Charonne, à la maison. Eh bien, non, nous habiterons rue Oberkampf, chez lui, au 2e, à côté de sa sœur Hélène. J'en suis contrariée d'avance. Henriette partage le divan avec moi : chaque fois qu'elle remue, le rabat tombe sur ma tête. Nous avons revu Choukette, mais on ne me l'a pas rendue. Maman est insaisissable, elle nourrit son bébé au sein, travaille tôt le matin et finit tard le soir. Benoît est adorable, toujours souriant, jamais grognon, un vrai poupon!

La rentrée des classes a eu lieu, mais l'école Saint-Bernard m'est insupportable, j'en fais des cauchemars… J'ai supplié ma mère, qui m'a fait accepter à la Cité Voltaire. Je devrai prendre le métro et descendre à la station Boulets. Ça n'a pas d'importance car, dans l'autre école je m'y serais sentie trop mal. Je me souviens trop bien de ce qui avait précédé notre départ de Paris. J'ai deux ans de retard par rapport aux enfants de mon âge. Je suis dans la classe de madame Stordeur qui a un fils grand comme moi. Il vient nous voir de temps en temps. Je travaille avec sérieux, je l'ai promis. Mais, être dans les dernières, c'est décourageant; au lieu de huit ans, comme mes camarades, j'en ai dix! J'ai besoin de mon père pour remonter la pente! Non, je ne suis pas heureuse. « Rien ne sera comme avant, répète ma mère, il faut se faire une raison. » Je ne peux même pas parler de papa, c'est comme s'il n'avait pas existé. « Faut oublier le passé et marcher de l'avant, c'est le présent qui compte! » dit Ary, m'accompagnant pour aller voir la maîtresse. Il me fait honte, quand je le vois s'accouder sur le mur de la cour pour lui parler. Je veux bien essayer d'être gentille avec lui, mais qu'il ne dise pas que je suis sa fille! Il préfère Henriette, de toute manière. Elle a le droit d'apprendre à jouer sur son piano, chez sa sœur, dans leur atelier de tricot qui se trouve derrière notre chambre et d'où je peux les entendre.

La grande suit des cours de musique tous les jeudis, pendant que la petite va au patronage, passage Chardaléry. J'apprends le yiddish avec madame Slovès et ça me plaît. Les parents d'un jeune homme, tué durant la guerre, ont offert à chacun d'entre nous un pull-over en cadeau et nous ont fait poser pour une photo. À la fête

de la salle Pleyel, déguisée en souris, je chantais : « *Is tra-tra-tra, oun pish pish patsh, Aïn to tras, said undzer kats…* ». Tout le monde m'a applaudie, même monsieur Ary…

Durant la semaine, Rachel enseigne le métier de fourreur à son musicien et elle est fatiguée quand elle revient à la maison. Et tous les samedis soirs, ils vont ensemble à leur chorale populaire juive, rue de Paradis. Je garde mon petit frère et je pleure en même temps que lui. Je le prends dans mes bras et je me promène dans cette pièce qui sent l'éther, je ne sais pas pourquoi… On ne peut pas m'interdire de penser à papa, mais je désespère de le voir revenir. J'entends encore ses supplications, ses prières, et les voix moqueuses des policiers. Alors, je voudrais crier, mais à qui? Je pose le bébé dans son lit : Benoît pour eux, Daniel pour moi. Et je vais regarder par la fenêtre la ville qui m'a vue naître et qui ne m'apporte pas de réponse.

MA COUSINE GOLDALÉ

Nous sommes allées à l'hôpital voir notre cousine Goldalé que je ne connaissais pas. Elle parle un peu le français. Elle vivait en Lituanie quand les Allemands l'ont prise, en compagnie de ses parents. Elle avait quatorze ans, comme mon amie Hélène Weinstein. Sa sœur jumelle a été asphyxiée peu de temps après son arrivée, avec sa mère, dans une des chambres à gaz, dites de désinfection. Goldalé s'était fâchée de leur séparation, mais aujourd'hui, elle les en remercie. Elle a seize ans à présent, en paraît davantage, tellement on vieillit rapidement dans ces camps. En embrassant ses joues gonflées d'eau, j'ai senti sa peau fine et douce. Quand je la touche, elle s'incline vers moi, me regardant tendrement. Elle espère pouvoir émigrer en Palestine, y retrouver sa sœur aînée, Adina, et leur jeune frère, Schlomo. Nous la laissons s'exprimer lentement, sans l'interrompre. Elle arrive de Chypre et tonton Léon l'a invitée à rester chez lui en attendant, mais elle a hâte de recevoir son autorisation de prendre le bateau. Elle a survécu au camp de concentration d'Auschwitz grâce à l'ingéniosité de ses parents qui lui ont ajouté un an, contre sa volonté, lui ordonnant de travailler jusqu'à ce qu'elle puisse être sauvée de cet enfer. Un jour, derrière les barbelés, elle a rencontré son père (le frère du mien), très amaigri. Il l'a suppliée de se nourrir, avec tout ce qu'elle pourrait trouver, de l'herbe s'il le fallait! Peu de temps après, elle a appris qu'il avait été gazé, lui aussi, puis incinéré, comme les millions d'hommes, femmes et enfants enfouis dans les immenses fosses communes où les cendres de mon père seraient également. Elle insiste sur le fait que pleurer ne sert à rien. Elle nous raconte que le matin, lorsqu'elle entendait les gens derrière la porte, elle tendait la main de sa voisine morte, pour obtenir sa portion de pain et de soupe. J'en suis toute retournée! Les derniers temps, ne pouvant plus marcher seule sans tomber, elle donnait son butin à la femme qui l'aidait à se déplacer pour l'appel. « Tu ne peux pas t'imaginer, Rachel!» gémit-elle auprès de ma mère.

J'ai vu tant de malades et de blessés, tant de photos dans les journaux et dans les actualités au cinéma, que je ne cesse d'y penser. Les cadavres sont partout, maigres comme des clous, dans leurs pyjamas rayés. Je refuse d'imaginer papa, tout nu, entouré d'une foule anonyme dans le même état, allant prendre la douche exterminatrice avant d'être jeté au four crématoire! Je ne peux pas admettre qu'on l'ait traité pire qu'une bête menée à l'abattoir! «À Stalingrad, Raphaël (cadet de maman) est au moins mort en combattant! » nous révèle maman, mi-fière, mi-triste. Il était capitaine dans l'armée Russe! Elle a fait cette macabre découverte juste avant d'accoucher de Benoît Daniel, à l'hôpital Rothschild.

Je m'endors en songeant à Goldalé, à sa sœur, à ses parents, à mes deux grands-mères et à tous ceux de ma famille, oncles, tantes, grand-père paternel, cousins, cousines et surtout à celui que j'adore par-dessus tout au monde, mon papa. Il n'a même pas de tombe pour que je puisse aller m'y recueillir. Du palier, je l'aperçois en bas de l'escalier. Pourquoi ne monte-t-il pas? Il ne peut pas. Il n'a pas de jambes et il lui manque un bras! Il me fixe tristement du fond de sa chaise roulante, dans sa vieille robe de chambre. Je veux descendre le chercher, mais comment m'y prendre pour le remonter? Je crie désespérément :

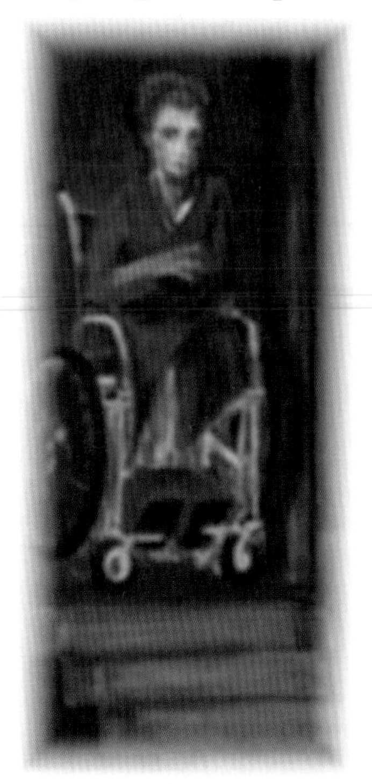

« Maman! Maman!

– Shhhhh! Shhhhh! Tu fais un cauchemar, Marguerite! Tu as failli réveiller le petit… Calme-toi et dors, maintenant», et elle se précipite dans le lit d'où j'entends ronfler son amant. Je me bouche les oreilles, étouffant ma peine au plus profond de mon être, sans réussir pour autant à la faire disparaître.

ÉPILOGUE

Une étoile au firmament me protège et m'aide, c'est celle de mon père!

À 14 ans, un cadeau inattendu, le 1er prix de dessin, m'a permis d'entrer en 5e au Collège technique Élisa Lemonnier, mais des problèmes familiaux et financiers m'ont empêchée de terminer ma 3e année.

À 16 ans, je songeais à « monter » en Israël et travailler dans un kibboutz. J'étais membre du Dror, situé au-dessus du Bataclan de Paris, où j'étais monitrice bénévole. Le dimanche après-midi, nous recrutions les enfants juifs traînant dans les rues de nos quartiers, et nous les emmenions jouer au bois de Vincennes, ou ailleurs... Le dimanche matin, nous récoltions de l'argent pour planter des arbres au pays de nos ancêtres... Je travaillais comme standardiste temporaire, puis comme bouliste occasionnelle aux P.T.T.

À 18 ans, j'étais décomptrice contractuelle au centre d'administration et de comptabilité de l'Armée (le C.T.A.C.) de Pantin, où j'ai travaillé 5 ans, devant renouveler mes contrats tous les six mois, sans espoir d'avancement... Parce que j'étais mineure, maman a pu m'empêcher de partir. Avec les années, je l'ai comprise et j'ai apprécié. Puis, j'ai travaillé pour elle dans son vieux commerce jusqu'en 1967 et je l'ai soutenue moralement jusqu'au bout de sa vie en 1996, en dépit de tout.

En juillet 1963, à 26 ans, un heureux hasard m'a fait rencontrer l'ingénieur bengali qui a changé ma vie. Nous avons réussi à nous marier en avril 1965 alors qu'il effectuait son doctorat à l'école

Centrale de Paris. En août 1967, l'offre d'un poste d'enseignant à l'Université de la Colombie-Britannique nous a conduits au Canada. En 1969, la naissance de notre fils, nous a donné les joies et la fierté d'être parents et, en septembre, l'Université Laval, au Québec, nous a rapprochés de Paris…

En 1971, nous arrivions à Longueuil, avec un emploi de professeur pour mon mari. En 1976, la loi 101 imposant le français aux enfants d'immigrants, je suis devenue bénévole pour aider ceux des deux écoles anglophones fréquentées par notre fils, sortant ainsi de mon isolement. J'ai été tour à tour aide académique de français, animatrice pour les petits, aide aux élèves en difficulté et professeur de dessin autodidacte, sans autre rémunération que celle d'être utile à mon tour.

En 1990, timidement, j'entreprenais ce livre. Comme j'étais incapable d'en écrire les passages pénibles, notre fils m'a suggéré de les illustrer, puis de les classer et j'en ai achevé le texte. Dans ma cabane au Canada, où je me sens enfin chez moi, je vis toujours avec mes morts. Dans mes cauchemars, je vois papa – plus jeune que moi – squelettique, tondu et nu, sur le chemin d'un crématoire! Terrible image qui hante ma mémoire...

Durant les longues nuits d'hiver, quand la dernière étoile s'éteint, je ressasse mes souvenirs, et le matin, si le soleil rayonne à ma fenêtre, je l'ouvre et je respire, pour ceux que j'ai injustement perdus, ce bonheur d'être en liberté dans ce pays que nous avons choisi.

ANNEXES

Notes de l'auteure

Tous les noms propres de mon livre sont authentiques, à l'exception de la maîtresse, Mme Petit, d'Yvette et de Mme Martin. Celui de ma sœur a été un peu modifié afin de m'éviter une confrontation pénible.

Le message de notre concierge, reproduit page 42, n'est qu'un exemple parmi beaucoup d'autres d'une tentative de profiter lucrativement de notre situation précaire. Pour échapper à sa surveillance continuelle, nos fidèles clientes devaient nous rejoindre de nuit en passant par le bistrot de la voisine, dont la porte arrière était contiguë à la nôtre.

La main que j'ai dessinée page 18 n'est pas celle de mademoiselle Aubertin, c'est la mienne. Quant aux délicieux chocolats qu'elle contient, ce sont les fruits de ma gourmande imagination.

Mer
du
Nord
ROYAUME-UNI
PAYS-
BAS
ALLEMAGNE
BELGIQUE
Rhin
Manche
LUXEMBOURG
(annexé par l'Allemagne
en Juin 1940)
Compiègne
Drancy
Andrésy
PARIS
Fontenay-aux-Roses
Seine
Alsace et Moselle
(annexées par l'Allemagne
en Juin 1940)
Zone Nord
(occupée à partir de Juin 1940)
Loire
FRANCE
SUISSE
Océan
Atlantique
VICHY
Lyon
Zone Sud
(occupée à partir de Novembre 1942)
Vatilieu
Grenoble
ITALIE
ligne de démarcation
Garonne
Rhône
Tarnos
ESPAGNE
Mer
Méditerranée
Frontières de 1937
0
100
200 km
© 2007 La Fondation Azrieli

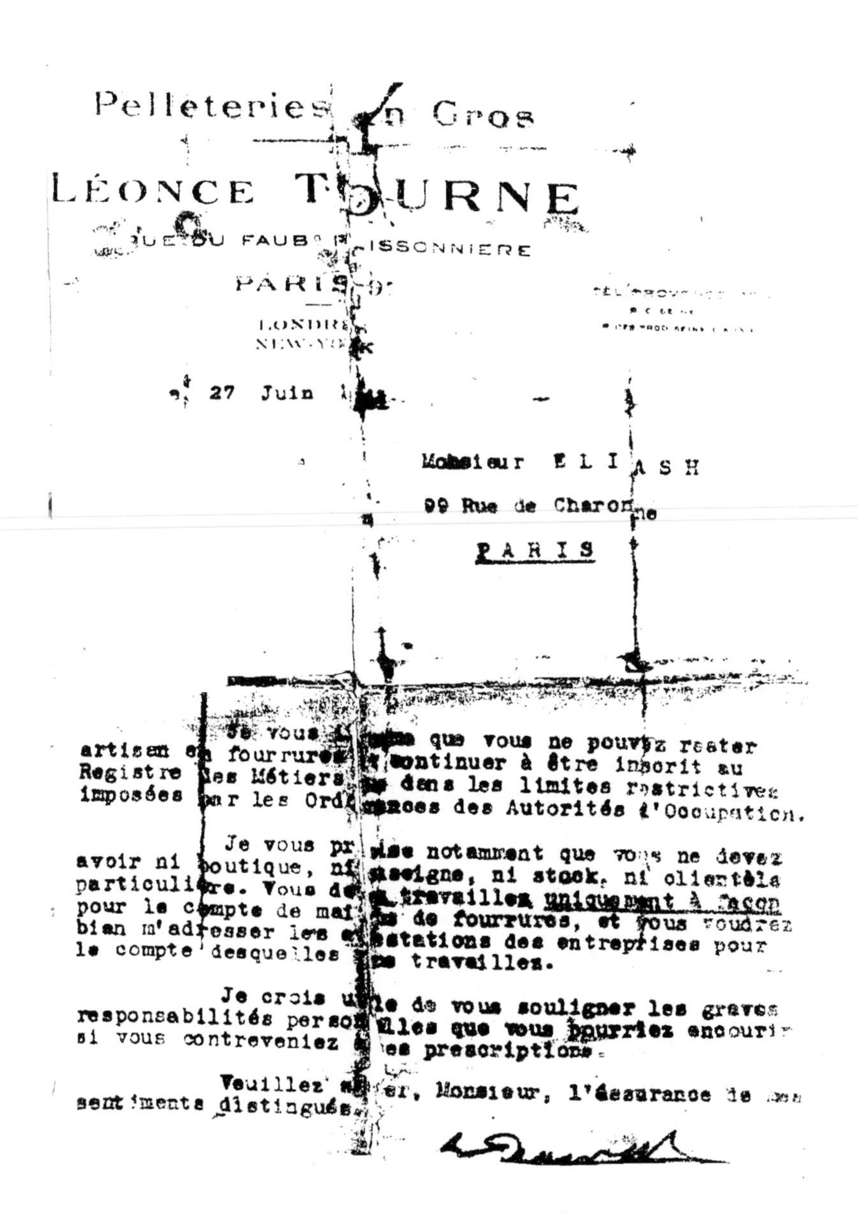

Pelleteries en Gros

LÉONCE TOURNE

RUE DU FAUBG POISSONNIERE

PARIS 9e

LONDRES

NEW-YORK

27 Juin 19[illegible]

Monsieur ELIASH

99 Rue de Charonne

PARIS

Je vous [illegible] que vous ne pouvez rester artisan en fourrures et continuer à être inscrit au Registre des Métiers que dans les limites restrictives imposées par les Ordonnances des Autorités d'Occupation.

Je vous précise notamment que vous ne devez avoir ni boutique, ni enseigne, ni stock, ni clientèle particulière. Vous devez travailler uniquement à façon pour le compte de maisons de fourrures, et vous voudrez bien m'adresser les attestations des entreprises pour le compte desquelles vous travaillez.

Je crois utile de vous souligner les graves responsabilités personnelles que vous pourriez encourir si vous contreveniez à ces prescriptions.

Veuillez agréer, Monsieur, l'assurance de mes sentiments distingués.

Fac-similé de la lettre d'avertissement envoyée par l'administrateur de l'entreprise de mon père, M. Léonce Tourne, nommé par l'administration de Vichy.

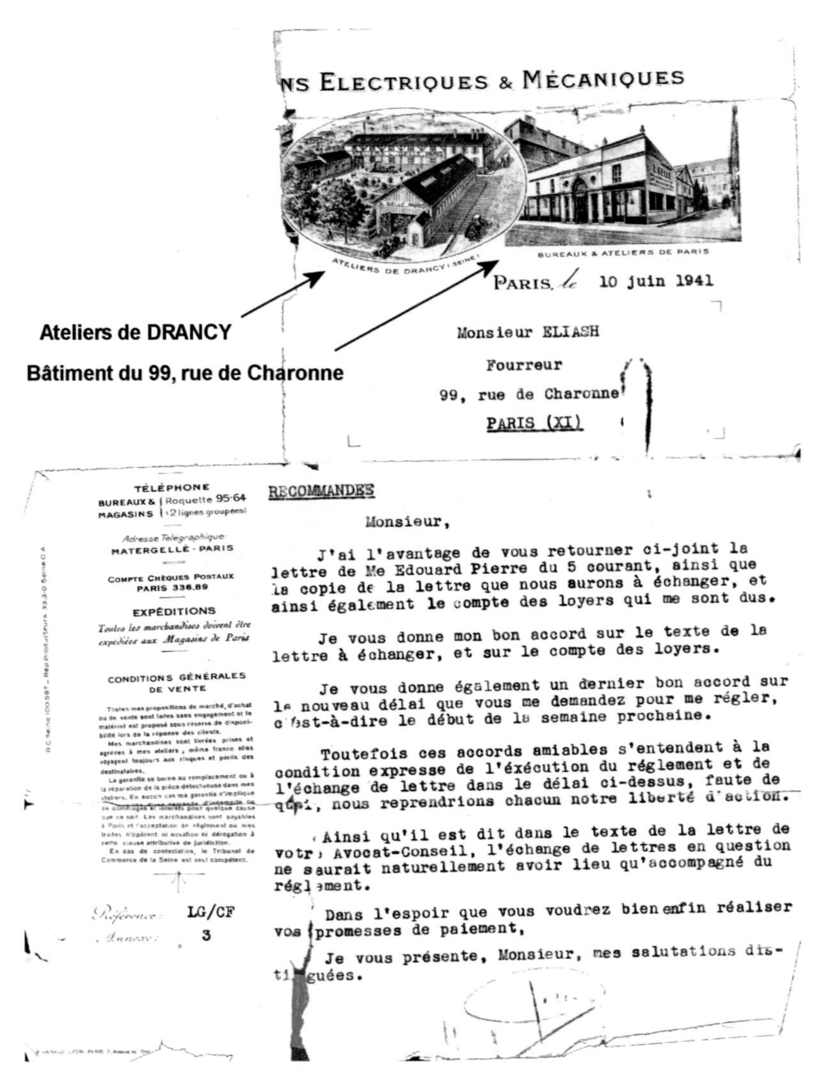

NS ELECTRIQUES & MÉCANIQUES

ATELIERS DE DRANCY (SEINE)

BUREAUX & ATELIERS DE PARIS

PARIS, le 10 juin 1941

Monsieur ELIASH
Fourreur
99, rue de Charonne
PARIS (XI)

TÉLÉPHONE
BUREAUX & MAGASINS | Roquette 95-64 (2 lignes groupées)

Adresse Télégraphique
MATERGELLÉ - PARIS

COMPTE CHÈQUES POSTAUX
PARIS 336.89

EXPÉDITIONS
Toutes les marchandises doivent être expédiées aux Magasins de Paris

CONDITIONS GÉNÉRALES DE VENTE

Toutes mes propositions de marché, d'achat ou de vente sont faites sans engagement et le matériel est proposé sous réserve de disponibilité lors de la réponse des clients.

Mes marchandises sont livrées prises et agréées à mes ateliers ; même franco elles voyagent toujours aux risques et périls des destinataires.

La garantie se borne au remplacement ou à la réparation de la pièce défectueuse dans mes ateliers. En aucun cas ma garantie n'implique [illegible] de dommages et intérêts pour quelque cause que ce soit. Les marchandises sont payables à Paris et l'acceptation de règlement ou mes traites n'opèrent ni novation ni dérogation à cette clause attributive de juridiction.

En cas de contestation, le Tribunal de Commerce de la Seine est seul compétent.

Référence : LG/CF
Annexe : 3

RECOMMANDES

Monsieur,

J'ai l'avantage de vous retourner ci-joint la lettre de Me Edouard Pierre du 5 courant, ainsi que la copie de la lettre que nous aurons à échanger, et ainsi également le compte des loyers qui me sont dus.

Je vous donne mon bon accord sur le texte de la lettre à échanger, et sur le compte des loyers.

Je vous donne également un dernier bon accord sur le nouveau délai que vous me demandez pour me régler, c'est-à-dire le début de la semaine prochaine.

Toutefois ces accords amiables s'entendent à la condition expresse de l'éxécution du réglement et de l'échange de lettre dans le délai ci-dessus, faute de quoi, nous reprendrions chacun notre liberté d'action.

Ainsi qu'il est dit dans le texte de la lettre de votre Avocat-Conseil, l'échange de lettres en question ne saurait naturellement avoir lieu qu'accompagné du réglement.

Dans l'espoir que vous voudrez bien enfin réaliser vos promesses de paiement,

Je vous présente, Monsieur, mes salutations distinguées.

Fac-similé d'une réponse de notre propriétaire, M. Gellé, datée du 10 juin 1941. Sur l'entête de cette lettre, j'ai découvert une terrible coïncidence : à côté de la photographie de notre bâtiment figure celle d'une autre usine de M. Gellé, à Drancy. Il s'agit précisément du lieu où papa sera interné, et d'où notre amie de la préfecture, madame Graziani, ne réussira pas à le faire libérer en tant qu'ancien combattant et commerçant renommé, résidant en France depuis seize ans.

OUVERTURE DU CAMP DE DRANCY

4232 hommes internés à DRANCY, cet ensemble d'HLM inachevé où tout manque

Les autobus les conduisent à DRANCY. Ce sont les raflés qui vont inaugurer ce camp installé à la hâte dans un ensemble d'immeubles HLM inachevés où tout manque : cloisons et toilettes. Des latrines sont installées dans la cour.

**A l'arrivée au camp,
ils sont 4.232 hommes internés,
dont 1500 Français ou naturalisés.
Sur 4232 raflés, plus de 3.200
sont du XIe.**

Chère Marguerite Je ne voudrais pas revenir sur ce mauvais passé, mais je crois que nous vous devons un gros merci, nous avons toujours pensé que si mon mari était encore vivant c'est bien grâce à votre présence dans notre maison au moment de la perquisition
Une chose nous a tous frappé : c'est ta mémoire
cette chose me fait un peu peur, tu te souviens peut être que j'étais sévère - je ne t'ai peut-être pas toujours bien compris. Vois-tu Marguerite il faut m'excuser et même me pardonner, n'étant qu'une maman d'occasion, je n'en avais certainement

Fac-similé d'un extrait de la réponse de Mme Chatenay à la première lettre que je lui ai écrite, à ma majorité. À mon insu, ma mère avait découpé ce passage de la lettre.

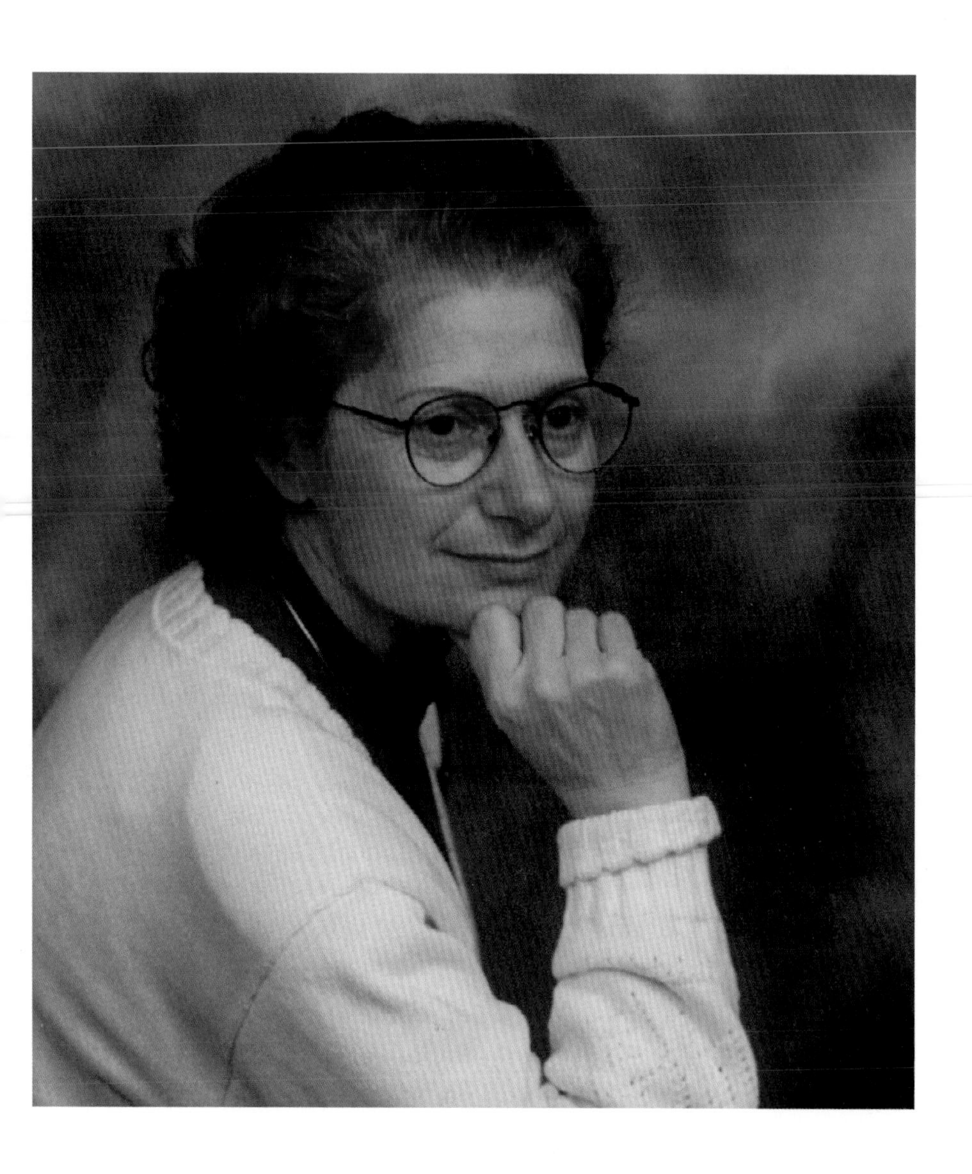

Une photo récente de l'auteure

La Fondation Azrieli

La Fondation Azrieli a été créée en 1989 pour concrétiser et poursuivre la vision philanthropique de David J. Azrieli, C.M., C.Q., MArch. La Fondation apporte son soutien à de nombreuses initiatives dans le domaine de l'éducation et de la recherche. La Fondation Azrieli prend une part active dans des programmes du domaine des études juives, des études d'architecture, de la recherche scientifique et médicale et dans les études artistiques. Parmi les initiatives reconnues de la Fondation figurent le programme de publication des mémoires de survivants de l'Holocauste, qui recueille, archive et publie les mémoires de survivants canadiens, l'*Azrieli Institute for Educational Empowerment*, un programme innovant qui apporte un soutien aux adolescents à risques et les aide à rester en milieu scolaire, ainsi que l'*Azrieli Fellows Program*, un programme de bourses d'excellence pour les second et troisième cycles des universités israéliennes. L'ensemble des programmes de la Fondation sont présentement mis en œuvre au Canada, en Israël et aux États-Unis.

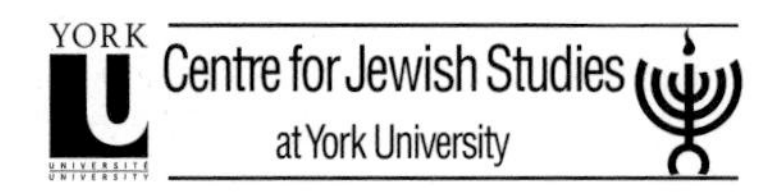

Le Centre d'études juives de l'Université York

L'Université York a créé en 1989 le premier centre de recherche interdisciplinaire en études juives au Canada. Au fil des ans, le Centre d'études juives de l'Université York (CJS) a obtenu une reconnaissance nationale et internationale pour son approche dynamique de l'enseignement et de la recherche. Tout en fournissant un enseignement en profondeur de la culture juive et des études classiques, le Centre développe une approche résolument moderne et un intérêt marqué pour l'étude de la réalité juive canadienne.

L'Université York est un pionnier au Canada dans l'étude de l'Holocauste. Le Centre démontre son engagement à l'étude de l'Holocauste par la recherche, l'enseignement et l'engagement communautaire de ses professeurs.